Architecture in '71: Lively Confusion

By ADA LOUISE HUXTABLE

The state of the art of architecture in 1971, the first year of the trillion-dollar building decade, was one of lively confusion.

The trillion-dollar figure predicted for the nineteen-seventies in the United States is probably as much an indication of inflation as of need. But while recession-struck architects' offices were shedding personnel like autumn

This is one of a series of appraisals by The New York Times's critics.

leaves, the Dodge construction index, which deals in such statistics, showed a whopping increase of 17 per cent in construction for 1971 and foresaw continuing gains for 1972. That is a lot of building by any measurement —except, perhaps, the standards that make it architecture.

The confusion is about what makes it architecture, in definition and practice. Whether architecture should be an art at all in this time of environmental crisis, what it is if it isn't an art, what the role of the profession is

the Pentagon. And it is also the year that produced the colossal cipher that is the John F. Kennedy Center for the Performing Arts in Washington. Architecture is not without black humor.

Today the architect is in the process of painful professional soul-searching prompted by a society suddenly aware of its sins, with many of them, in terms of the quality of the manmade world, placed squarely on his shoulders. Architectural schools are revising aims and curriculums to produce practitioners who can deal with human and social values that transcend traditional esthetics.

The debate is style vs. antistyle, the process vs. the product. Some architects, for whom the social process is all, are community activists and advocacy planners. They are asking for a larger piece of the environmental pie.

Others are stylists, reviving and reinterpreting the modernist vocabulary of the nineteen-twenties with stubbornly sophisticated and highly selective skill. They are producing buildings of absolute, arbitrary beauty

New York's World Trade Center, by Minoru Yamasaki

This has electrified one generation and horrified another.

that the monument was still alive, there was Gordon Bun-

An Anatomy Of Failure

The Poor As Homeowners

at inflated prices. Or else they have been shamrocks who saw a chance to make a lot of deercuch properties that were no longer turning a profit on the rental market by selling them to low-income families through the FHA—an unsympathetic agency that was used to financing new suburban housing and deeply resented congressional orders to start insuring older homes in the cities.

One result of all this has been a soaring FHA foreclosure rate in big cities where the buyers among the new buyers and customers. These measures to halt making the Department of Housing and Urban Development, FHA's parent agency, the nation's largest owner of run-down and abandoned inner-city homes.

General Accounting Office auditors report that HUD now owns 6,000 houses in Detroit, the most active city for FHA foreclosures in recent years, and will soon own 20,000 at the present rate of mortgage foreclosures. The cost to the federal government: a staggering $200-million. In Philadelphia, FHA has more foreclosures in the last four years on singlefamily homes than in all the previous 35 years it insured mortgages there; one in every 10 FHA home mortgages in Philadelphia now made to foreclosure. Moreover, foreclosures are only beginning to come in from late 1968 and 1970, the boomer years for selling homes under the low-income programs.

See HOUSING, Page C3

Humanism in an Age of Megalomania

By Wolf Von Eckardt

Cityscape

New York City's World Trade Center: The Architecture of Megalomania

---

St. Louis Gangs Wage Lethal War to Control Drug Market

ARCHITECT NAMED FOR TRADE CENTER

Yamasaki Will Design $2.7 Million Downtown Project

By MILTON ESTEROW

Minoru Yamasaki, who designed the highly acclaimed United States Science Pavilion at the Seattle World's Fair, has been named architect for the proposed World Trade Center in lower Manhattan.

Emery Roth & Sons of 850 Third Avenue will be associated architects on the project. Announcement of their selection was made yesterday by S. Sloan Colt, chairman of the Port of New York Authority.

The $270,000,000 center is being planned by the Port Authority on a 15-acre site bounded by West, Barclay, Church and Liberty Streets.

The boundary has been set by the New York and New Jersey Legislatures for development by the Port Authority. The center will house the downtown Manhattan terminal of the Hudson Tubes.

The Port Authority has said that the center would bring together in one location all the specialized activities and information needed for the conduct of export-import business in the city. No date has been set for completion of the center.

Native of Seattle

Mr. Yamasaki is considered one of the country's foremost architects. He is a 49-year-old native of Seattle. His architectural firm, Minoru Yamasaki and Associates, is in Birmingham, Mich.

In addition to the pavilion at the Seattle World's Fair, he has designed the Civil Air Terminal in Dharan, Saudi Arabia, the United States Consulate General in Kobe, Japan, Pahlavi University in Shiraz, Iran, and the Behavioral Sciences Building at Harvard University.

He has won the First Honor Award of the American Institute of Architects three times. Mr. Yamasaki received a Bachelor of Architecture degree from the University of Washington in 1934, and did graduate work at New York University.

Emery Roth & Sons was founded in 1903 by the late Emery Roth. He designed such structures as the Ritz Tower, St. Moritz and St. George Hotels.

Since the end of World War II the company has designed 60 buildings in Manhattan, including the Sperry Rand Building at 1280 Avenue of the Americas and the Pan American Building under construction at Grand Central Terminal.

Architects Are Madly Shooting for the Stars

By Wolf Von Eckardt

Grand Central Terminal's $300 million, 59-story office.

ST. LOUIS CLOSES HOUSING PROJECT

33 Buildings Fenced Off—Demolition Scheduled

Special to The New York Times

ST. LOUIS, May 12—Workmen finished installing a seven-foot fence last week around the now-empty Pruitt-Igoe public housing project.

The sealing of the massive project, built in the nineteen-fifties to offer the poor a modern, clean alternative from the squalor of the city slums, was done to keep vandals from stripping the 2,700 apartment units of valuable copper plumbing.

But many saw the fence as something more symbolic. "I feel as if I'm pounding nails into the coffin," said one of the workmen. "When we leave, this will be nothing but a giant, inner city ghost town."

The last of the project's residents moved out on May 4.

Pruitt-Igoe housing project in St. Louis. All 30 of the 11-story buildings are to be razed by next year.

The New Rainier Square: Seattle's Balance of Terror

SEATTLE—Frank Lloyd Wright used to talk about the need to "destroy the box," and by now, so many architects have come to agree that it is difficult to find a new skyscraper that does not have some sort of eccentric form to it.

An Appraisal

Pennzoil Place in Houston is a pair of trapezoidal towers, Transamerica in San Francisco is a pyramid, and John Hancock in Boston is a parallelogram. Now, unorthodox shape has come to Seattle in the form of Rainier Square, a 40-story skyscraper that has people in this city not just talking, but looking up nervously as they pass near it. This building's eccentricity is all at the bottom; the 140-foot-wide tower is balanced on an 11-story concrete base that narrows to just 68 feet wide at street level, making the entire building look as if it is about to tip over.

At ground level there is a plaza, and from there the concrete pedestal widens in an upward and outward slope from its tiny square base to the much larger tower, like a giant inflatable form that has just been blown up from beneath the earth's surface.

Architect of Trade Center

The architect was Minoru Yamasaki, who ironically gave New York the biggest boxes of all in the World Trade Center, and it is difficult to know quite what he was doing here. The shape of the Rainier Square base is not visually pleasing or even amusing; it is in fact rather terrifying, since it is hard not to feel a considerable nervousness at the sight of a 40-story skyscraper looming overhead on a concrete pedestal that touches the ground only in the center.

One of the local newspapers here ran an article explaining the engineering principles to assure worried Seattleites that the building would not topple over on passers-by.

Freeing Ground Space

But the article missed the point. No one really thinks that the building will fall over; the much deeper problem of this building is that it suggests that there are certain forms about which we react almost instinctively and by which we are made to feel uneasy. If this is so, a natural question presents itself: why do architects like Mr. Yamasaki feel so free to use them? This building looks upside down, and all the technological savvy in the world will not make it look right-side up.

Rainier Square, a 40-story skyscraper in Seattle, is balanced on an 11-story tower that narrows to 68 feet at street level.

The Case History of a Housing Failure

By JOHN HERBERS
Special to The New York Times

ST. LOUIS, Oct. 29 — In the midst of an acute housing physical deterioration, accidental deaths and serious injuries.

"It was like building a

Here the distress is stark and visible and the cause is easily traced.

Pruitt-Igoe was built in

O ARQUITETO

Rui Tavares

O ARQUITETO
Rui Tavares

martins
Martins Fontes

© 2007, Rui Tavares e Edições tinta-da-china, Ltda., Lisboa.
© 2008, Martins Editora Livraria Ltda., São Paulo,
para a presente edição.

CAPA E PROJETO GRÁFICO
Vera Tavares

PRODUÇÃO EDITORIAL
Eliane de Abreu Santoro

PREPARAÇÃO
Huendel Viana

REVISÃO
Maria Aparecida Salmeron
Simone Zaccarias

PRODUÇÃO GRÁFICA
Demétrio Zanin

Dados Internacionais de Catalogação na Publicação (CIP)
(Câmara Brasileira do Livro, SP, Brasil)

Tavares, Rui
  O arquiteto / Rui Tavares. -- São Paulo : Martins, 2008.

  Título original: O arquitecto.
  ISBN 978-85-99102-62-6

  1. Dramaturgia 2. Arquitetura 3. Teatro
português 4. Yamasaki, Minoru, 1912-1986 I. Título.

08-01911   CDD-869.2

Índices para catálogo sistemático:
1. Teatro : Literatura portuguesa 869.2

Todos os direitos desta edição no Brasil reservados à
MARTINS EDITORA LIVRARIA LTDA.
R. Prof. Laerte Ramos de Carvalho, 163
01325-030 São Paulo SP Brasil
Tel.: (11) 3116.0000 Fax: (11) 3115.1072
info@martinseditora.com.br
www.martinseditora.com.br

A Chris
A meus pais
A meu amigo António Tomás

Sumário

Ato i   15
Ato ii   101

Sobre *o arquiteto*   161

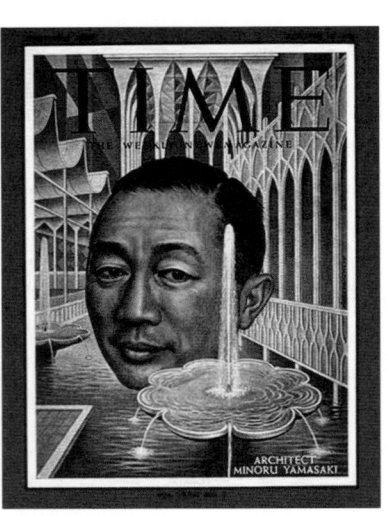

PERSONAGENS

MINORU YAMASAKI
(1912-1986)
Arquiteto, autor de Pruitt-Igoe, em Saint Louis, Missouri, e do World Trade Center, em Nova York.

MORELAND GRIFFITH SMITH
(1906-1989)
Arquiteto e ativista dos direitos civis.

WOLF VON ECKARDT
(1918-1995)
Crítico de arte e arquitetura do *Washington Post*.

LESLIE ROBERTSON
(1928-)
Engenheiro de estruturas, responsável pela construção do World Trade Center.

FAZLUR RAHMAN KHAN
(1929-1982)
Engenheiro de estruturas, inventor do conceito de feixe tubular.

DAVID ROCKEFELLER
(1915-)
Capitalista, principal investidor no World Trade Center.

UMA SECRETÁRIA

Todos os acontecimentos, personagens e relações entre personagens e acontecimentos referidos no texto são reais. Os diálogos são puramente imaginários, bem como suas circunstâncias.

Ato I

Detroit, fim da tarde e noite de 16 de março de 1972. Escritório da Minoru Yamasaki Associados. MINORU YAMASAKI *está só, sentado a uma mesa de trabalho plana e falando ao telefone, um aparelho preto, com discador rotativo. É um homem de sessenta anos, de aparência mais jovem que a sua idade, baixa estatura, vestido formalmente, usando suspensórios e gravata-borboleta, mas de mangas arregaçadas e sem paletó. À sua esquerda, uma fileira de pranchetas inclinadas, com luminárias acesas sobre elas, papéis quadriculados e plantas de edifícios nos pregadores ou espalhados pelo chão, outros materiais de desenho. À sua direita, uma porta entreaberta dá acesso à recepção do escritório, por onde entram e saem as demais personagens.*

MINORU YAMASAKI
[*Ao telefone.*]
Não, não é bem assim. Creio que é uma visão muito exagerada. Devo dizer-lhe que, muito pelo contrário, tento criar alguma distância em relação a tudo isso. Sinto mesmo que devo fazê-lo. Como arquiteto, sempre pensei que o meu papel, o papel dessa profissão, seria ajudar a criar as melhores condi-

ções possíveis para a vida das pessoas, combinar estética e função para o usufruto da felicidade.
[*Silêncio rápido.*]
Mas – mas – devemos ser modestos. Isso é muito importante; o arquiteto é apenas um facilitador. Não passa de um elo.
[*Breve silêncio.*]
Exato. É exatamente isso. As decisões são tomadas pelo povo de Saint Louis, pelos seus representantes na legislatura do estado e do município. E eu respeito essas decisões. O meu trabalho está feito, já há muitos anos...
[*Silêncio.*]
Um fracasso?! Não de todo. Pelo contrário, esse projeto recebeu as maiores honras da Associação Americana dos Arquitetos logo no seu primeiro ano. Os meus colegas foram unânimes em relação à qualidade desse projeto desde o início, o que naturalmente me deixou muito satisfeito. É isso que eu desejo que escreva aos seus leitores... Quero dizer: pode transmitir aos leitores do *Globe* a mesmíssima coisa que eu já disse à *Newsweek* ou à NBC, assim como ao *Post-Intelligencer* ou ao *San Francisco Chronicle* ou ao *Chicago Tribune*. Enfim: a mesma coisa que digo sempre. Eu sou arquiteto, arquiteto até o último fio de cabelo. Não sou político nem sociólogo. Não compete a mim curar os males da sociedade.

Mesmo que quisesse não poderia. "Os males da sociedade não se curam com edifícios bonitos." Pode escrever; foi o que eu disse ao seu colega do *Detroit Free Press*. Eu fiz o melhor que pude com aquilo que me pediram, e mais: esse melhor foi reconhecido... Sim. Sim. *Sim*. Eu é que agradeço.
[*Desliga o telefone; esfrega os olhos, recosta-se na cadeira e fica de olhos fechados por algum momento.*]

Entra a SECRETÁRIA.

SECRETÁRIA
Senhor Yamasaki?

MINORU YAMASAKI
Às vezes, Debbie, gostaria de saber o que têm certos dias que não consigo trabalhar em paz. Tudo acontece. E tudo acontece ao mesmo tempo. E acima de tudo há este telefone, este maldito aparelho que o Diabo inventou exclusivamente para me atormentar...

SECRETÁRIA
Está aí o senhor...

MINORU YAMASAKI
... como certamente inventou os jornalistas e os jornais, e eu não quero ser forçado a pensar que tenha inventado também as secretárias.

SECRETÁRIA
Senhor Yamasaki, peço desculpas. Eu só estou...

MINORU YAMASAKI
Debbie... por favor. Não estou interessado.

SECRETÁRIA
Mas é o senhor...

MINORU YAMASAKI
Seja quem for.

SECRETÁRIA
É o senhor Moreland Griffith Smith.

MINORU YAMASAKI
O Moreland? Não estava esperando. Dê-me um minuto, ao menos.

SECRETÁRIA
E outra coisa: ligaram do *New York Times*.

MINORU YAMASAKI
O *New York Times*? Hoje? Não acredito.

SECRETÁRIA
Desejavam somente...

MINORU YAMASAKI
Debbie. Eu sei perfeitamente o que deseja o

New York Times. E sei melhor ainda o que deseja o *Washington Post*, mesmo que ainda não tenham ligado.

SECRETÁRIA
Não ligaram.

MINORU YAMASAKI
Vão ligar. Hoje, os desejos deles e os meus desejos são antagônicos.

SECRETÁRIA
Digo ao senhor Griffith Smith que entre?

MINORU YAMASAKI
Debbie, por fav... – o.k. Diga-lhe que entre.

Sai a SECRETÁRIA.

[MINORU YAMASAKI *respira fundo.*]

Passado um momento, entra MORELAND GRIFFITH SMITH. *Um homem alto, vestido em tons claros, com a atitude e postura das famílias ilustres do sul dos Estados Unidos.*

GRIFFITH SMITH
Yama!
[*Abraçam-se, tornando evidente a diferença de altura.*]

MINORU YAMASAKI
Moreland! Como você me aparece assim de repente do Alabama?

GRIFFITH SMITH
Mas eu já não vivo no Alabama, Yama. E há mais de seis anos.

MINORU YAMASAKI
Tem razão, Moreland. Peço desculpas. Eu sei bem que se mudou para a Geórgia.

GRIFFITH SMITH
Não há problema. Na verdade, também não venho de Atlanta. Venho de Washington, onde fui ver políticos, vou para Madison, onde vou ver estudantes cabeludos, e decidi parar em Detroit, não para ver a cidade do automóvel, mas para visitar meu ilustre amigo e criador de formas.

MINORU YAMASAKI
Sim. E como vai a Marjorie – e os pequenos?

GRIFFITH SMITH
A Marjorie manda lembranças. E você, como vai?

MINORU YAMASAKI
Como? Trabalhando. Como sempre. Temos

algumas coisas novas. Ali – por exemplo – estão alguns esboços para um centro de documentação e uma biblioteca. Imagino que lhe agradem. E uma coisa relativamente pequena para um Centro de Artes Performáticas.

GRIFFITH SMITH
Em estilo yamagótico?

MINORU YAMASAKI
Eh, eh. Digamos que é uma variação em yamagótico.

GRIFFITH SMITH
E aquele do lado? Acho que o reconheço.

MINORU YAMASAKI
Aquilo é uma coisa velha! É o Wayne Center do campus da Universidade de Detroit, aqui do lado. Fomos buscá-lo porque tinha aqueles elementos em leque que nos interessavam. Para abrir um pouco, lembra?

GRIFFITH SMITH
Claro! O Wayne Center. Muito bem resolvido, esse edifício.

MINORU YAMASAKI
Mas podia ter ido buscar outro projeto qual-

quer. Essa questão do "abrir" – no fundo, da forma como hão de progredir os elementos do edifício – é um problema com que trabalho desde a minha primeira obra.

GRIFFITH SMITH
Desde a sua primeira obra, quer dizer...

MINORU YAMASAKI
[*Interrompendo.*]
O aeroporto de Saint Louis. A minha primeira obra.

GRIFFITH SMITH
No aeroporto? Sim, lembro bem. Você se refere àqueles telhados que parecem conchas?

MINORU YAMASAKI
Isso. Agora tínhamos um problema semelhante. Como lidar com os grandes espaços sem os fazer monumentais, não é? Ou monumentais sem os fazer esmagadores.

GRIFFITH SMITH
Dar-lhes naturalidade.

MINORU YAMASAKI
Dar-lhes até uma certa delicadeza. Hoje fazem-se edifícios enormes, mas para poder subir tanto em altura precisam de uma

coisa que os sustente, que os faça acolhedores.

GRIFFITH SMITH
Isso vale mesmo quando não são altos.

MINORU YAMASAKI
A arquitetura é música. As fachadas, os corredores, as paredes não podem ser sempre iguais. Mesmo quando parecem. Precisam de ritmo.

GRIFFITH SMITH
Precisam ser pontuadas.

MINORU YAMASAKI
Se você olhar para uma concha – ou melhor, se olhar para a superfície de uma concha –, ela pode parecer repetitiva, mas nunca é monótona. Ela vai abrindo pouco a pouco, de uma maneira natural.

GRIFFITH SMITH
Pode ser uma concha, como você diz, mas pode ser como um pano. Na escultura antiga...

MINORU YAMASAKI
Os panos nunca caem direito. Nunca. Eles sabiam o que faziam.

GRIFFITH SMITH
Ou como a cortina de um palco, no teatro, quando abre e fecha. Com aquele pregueado que faz quando se recolhe.

MINORU YAMASAKI
Funciona como o fole de um acordeão, que é uma coisa que respira.

GRIFFITH SMITH
E que é semelhante à solução em leque. A minha preferida. Dá às estruturas uma certa qualidade de flor, um pouco como quando se abre a mão rodando e esticando os dedos, aquele efeito que é um simultâneo de hélice e guarda-chuva.
[*Exemplifica com o antebraço na vertical, rodando o pulso e abrindo os dedos.*]
E aquilo ali é o quê?

MINORU YAMASAKI
Um centro judaico.

GRIFFITH SMITH
Aquele do Illinois?

MINORU YAMASAKI
Não, um novo. O Templo Beth El, aqui mesmo num bairro vizinho, Bloomfield. Mas tem princípios semelhantes. É precisamente

uma espécie de pano que desce, ou um par de
asas que cobre a congregação.

GRIFFITH SMITH
Ou um mosquiteiro gigante.

MINORU YAMASAKI
Muito engraçado.

Entra a SECRETÁRIA.

SECRETÁRIA
Senhor Yamasaki, dá licença? Ligou a senhora Yamasaki...

MINORU YAMASAKI
Sim.

SECRETÁRIA
Queria saber se o senhor chega para o jantar...

MINORU YAMASAKI
Hum. Diga-lhe que hoje mal pude trabalhar.

SECRETÁRIA
... e se o senhor Griffith Smith chegou bem.

MINORU YAMASAKI
A Teruko sabia que você vinha, Moreland?

GRIFFITH SMITH
Não sei. Talvez a Marjorie tenha lhe dito.
[*Puxa por uma cigarreira.*]
Você não tem um isqueiro, Yama?

Sai a SECRETÁRIA.

GRIFFITH SMITH [*Continuação.*]
Mas falando sério, senhor conferencista, você ainda consegue que eu volte a fazer arquitetura. Com essa conversa toda de paredes que se movimentam, que crescem naturalmente…

MINORU YAMASAKI
Uma parede não tem que ser obrigatoriamente uma parede.

GRIFFITH SMITH
… e coisas fluidas e todas essas maravilhas…

MINORU YAMASAKI
Uma parede pode ser uma coisa fluida. Pode ser uma continuação do solo.

GRIFFITH SMITH
… você quase me engana…

MINORU YAMASAKI
Prédios que saem do solo, como plantas.

GRIFFITH SMITH
... e volto a acordar na Sorbonne.

MINORU YAMASAKI
Prédios que se ramificam como árvores. É curioso você falar nisso...

GRIFFITH SMITH
Fui eu que falei nisso?

MINORU YAMASAKI
... porque tenho andado às voltas com uma idéia de edifício precisamente em torno dessa imagem: um prédio-árvore. Você vai achar uma loucura.

GRIFFITH SMITH
Vou? Conte.

MINORU YAMASAKI
O princípio é fazer um arranha-céu... aliás, não chega bem a ser um arranha-céu, é coisa mais para quarenta andares, cinqüenta, no máximo.
[*Aproxima-se de uma das pranchetas e desenha, começando a partir do topo, um esquema baseado na Rainier Tower.*]
A novidade está nos primeiros, digamos, dez a doze andares. Que na verdade não são andares. Aqui não fazemos janelas, não faze-

mos absolutamente nada, só um pedestal em forma de cálice, completamente cego, mas revestido com um material que produza um reflexo bonito. Uma superfície completamente cega, só com uma abertura embaixo para a porta de entrada, e daí para cima o dito pedestal. E esse pedestal é mais fino na base e vai alargando com a altura. É como você dizia, como se fosse um caule ou um tronco que sai do solo. Vai alargando, alargando do chão para o alto, e quando chega aos vinte ou trinta metros de altura – aí é que começa o prédio.

GRIFFITH SMITH
Caramba! E o prédio, como é?

MINORU YAMASAKI
Quatro paredes, janelas estreitas na vertical. Normal.

GRIFFITH SMITH
Deixe-me ver se entendi bem. Você quer um edifício mais fino embaixo, alargando até um certo nível, e daí para cima um prédio normal.

MINORU YAMASAKI
Sim.

GRIFFITH SMITH
Como se fosse um lápis espetado no chão.

MINORU YAMASAKI
Sim – mas teria que ser um lápis retangular. Imagina uma garrafa de *bourbon*, quadrada como esta, mas com um gargalo proporcionalmente maior e mais comprido.

GRIFFITH SMITH
Só que aqui seria uma garrafa virada ao contrário.

MINORU YAMASAKI
Pegou a idéia.

GRIFFITH SMITH
Agrada-me a garrafa de *bourbon* para uma utilização menos teórica. Posso me servir?

MINORU YAMASAKI
E a mim também.

[*Servem-se moderadamente e* GRIFFITH SMITH *aprecia um gole;* MINORU YAMASAKI *segura o copo, mas se esquece de beber; ouve-se o ruído de uma máquina de escrever fora de cena.*]

GRIFFITH SMITH
E você já tem onde o fazer?

MINORU YAMASAKI
O quê?

GRIFFITH SMITH
O seu prédio virado do avesso.

MINORU YAMASAKI
Ah, na primeira oportunidade.

GRIFFITH SMITH
Na primeira oportunidade.

MINORU YAMASAKI
Mas acho que gostaria de construí-lo em Seattle. É lá que o imagino, com vista para o mar de Puget, com os Montes Olímpicos do outro lado da enseada, de frente para o pico Rainier.

GRIFFITH SMITH
Um arranha-céu mais fino embaixo e mais largo em cima.

MINORU YAMASAKI
Exatamente.

GRIFFITH SMITH
E quer fazê-lo em Seattle.

MINORU YAMASAKI
Foi o que eu disse.

GRIFFITH SMITH
Muito bem. Só não entendi uma coisa: a idéia é se vingar dos seus ex-concidadãos ou fazer com que se divirtam à sua custa na cidade onde você nasceu?

MINORU YAMASAKI
Moreland!

GRIFFITH SMITH
Porque é o que vai acontecer quando virem o seu prédio "garrafa virada ao contrário com o gargalo espetado na terra".

MINORU YAMASAKI
Agora você tem medo de que riam de mim?

GRIFFITH SMITH
Yama, é um plano fascinante. Muito bonito de descrever. Mas já pensou como as pessoas vão ficar assustadas aqui embaixo, com medo de que o edifício se desequilibre e caia em cima delas?

MINORU YAMASAKI
Como você pode imaginar, já interroguei engenheiros sobre isso. O Leslie Robertson me disse que não só se pode fazer, como também que poderia ser um dos edifícios mais resistentes a terremoto já construídos.

GRIFFITH SMITH
Claro que se pode fazer. Mas não é esse o problema. O problema vai ser andar aniquilado debaixo desse edifício e olhar para ele como se fosse uma onda enorme que vem na nossa direção.

MINORU YAMASAKI
Bobagem. As pessoas é que são demasiado previsíveis. Não gostam de surpresas.

GRIFFITH SMITH
E não gostam mesmo.

MINORU YAMASAKI
Sem nem mesmo entenderem – pelo menos sem entenderem de início – que eu quero deixar mais espaço ao nível da rua. Espaço para caminhar.

GRIFFITH SMITH
Você podia fazer isso com colunas. O resultado é o mesmo.

MINORU YAMASAKI
O Corbusier já fez isso com colunas.

GRIFFITH SMITH
Aha. Então é isso. Quer ser mais corbusiano do que o papa.

MINORU YAMASAKI
Não, não é nada disso. Você mesmo queria árvores! Não foi o que disse – que queria árvores? Pois as árvores não vêm em caixas. Já há caixas demais nas nossas cidades. Todos os arranha-céus são caixotes. Aliás, eu já desenhei caixas e caixotes o suficiente. "É preciso desfazer a caixa", Moreland!

GRIFFITH SMITH
... Frank Lloyd Wright.

MINORU YAMASAKI
Pois aí tem. Achei que você concordava com isso.

GRIFFITH SMITH
Se o Frank acha.

MINORU YAMASAKI
Estou lá interessado no que o Frank acha. O que *eu* acho é que as árvores não têm colunas. Pelo menos não têm vinte *pilotis* e um terraço em cima...

GRIFFITH SMITH
Deus não é corbusiano.

MINORU YAMASAKI
... têm um tronco em volta do qual se pode

andar e uma copa em cima para as folhas e os frutos, para nos dar sombra e um lugar para sentar.

GRIFFITH SMITH
Embora o Corbusier esteja convencido de que é Deus.

MINORU YAMASAKI
Concentração, Moreland! Isso é importante. Se você pode andar à sombra debaixo de uma árvore – se isso é até uma das coisas mais belas que você pode fazer –, aqui o princípio é o mesmo. Um prédio tem todo o céu para crescer, mas as pessoas têm que andar junto ao chão. Você faz o prédio mais estreito embaixo e mais largo em cima, podendo assim pôr jardins ao nível do solo, distribuir bancos para as pessoas descansar e proporcionar espaço para elas caminharem sem se trombar.

GRIFFITH SMITH
Não se as pessoas tiverem medo de que o prédio caia sobre elas.

MINORU YAMASAKI
Não! Isso é indiferente. As pessoas queixam-se de tudo. Passam a vida se queixando de que os arranha-céus lhes roubam espaço. Todo mundo protesta. Mas, quando se faz

um edifício que não lhes rouba espaço, queixam-se porque lhes mete medo.

GRIFFITH SMITH
Porque é verdade.

MINORU YAMASAKI
Independentemente de ser seguríssimo.

GRIFFITH SMITH
Coisa que eu não discuto. Isso é que é irrelevante. A aparência é insegura.

MINORU YAMASAKI
E daí? As pessoas queixam-se sempre mais das coisas que vêem do que da maneira como as coisas funcionam.

GRIFFITH SMITH
Precisamente. Daí que não haja informação nenhuma que possa mudar isso.

MINORU YAMASAKI
Acho que você já não está falando de arquitetura. Mesmo assim, aqui vai: um prédio é um prédio, mesmo que seja mais estreito embaixo do que em cima.

GRIFFITH SMITH
Mas "não parece bem", Yama. "Não parece bem" é a definição da América.

MINORU YAMASAKI
Que bobagem é essa? Não a minha América.

GRIFFITH SMITH
Pois a minha é. E recebo telefonemas em casa, às quatro da manhã, para lhe provar.

MINORU YAMASAKI
Isso é diferente. Isso é o Alabama.

GRIFFITH SMITH
Ou era, quando nós estávamos lá. Seattle não será certamente a mesma coisa.

MINORU YAMASAKI
Mas já foi.

GRIFFITH SMITH
Não exagere, Yama. Você não faz idéia de como é aquilo.

MINORU YAMASAKI
Eu leio os jornais.

GRIFFITH SMITH
Não é o suficiente.

MINORU YAMASAKI
Ouça, Moreland, claro que eu não posso saber com certeza. Nem você, aliás.

GRIFFITH SMITH
Por quê? Até o dia em que conseguiram me escorraçar, há seis anos, os documentos provam que os Griffith Smith estão ininterruptamente no Alabama desde, pelo menos, 1735.

MINORU YAMASAKI
Mas, até onde eu sei, nenhum deles era negro. Assim como nenhum deles era japonês, em Seattle, há trinta anos.

GRIFFITH SMITH
Você tem razão, Yama, eu sei. Pearl Harbor foi difícil para vocês.

MINORU YAMASAKI
Pearl Harbor? Você não faz idéia. Quando foi Pearl Harbor eu já nem estava em Seattle. O meu pai sim. Na mesma sapataria de sempre, há mais de 25 anos. Durante a depressão, aceitou por duas vezes, sem protestar, que lhe cortassem o salário pela metade. Despediram-no um dia depois do ataque em Pearl Harbor. Posso provar a você que antes e depois de Pearl Harbor, durante a guerra e antes dela, ser japonês na Costa Oeste foi tão ruim quanto é, ainda hoje, ser negro no restante do país.

GRIFFITH SMITH
Mas você sabe o que as pessoas dizem. Foi

o Japão que atacou primeiro. Estava todo mundo histérico, esperando que a Costa Oeste fosse invadida. Eram o inimigo.

MINORU YAMASAKI
As pessoas não sabem nada. Também os alemães eram o inimigo. Mas na Costa Leste nunca vi alemães encurralados e levados para "campos de relocação". Também não fiquei esperando. Fiz questão de trazer imediatamente os meus pais para Nova York, antes que os pusessem num campo no meio do deserto do Utah ou do Arizona.

GRIFFITH SMITH
A melhor decisão da sua vida.

MINORU YAMASAKI
Não podia ficar nenhum japonês a menos de 250 milhas do oceano Pacífico. Não podia sobrar um japonês em toda a Califórnia, em metade do Oregon, em metade do Arizona e em metade do meu próprio estado, Washington. Levaram mais de 100 mil para os campos de relocação. Alguém sabe que tivemos campos, Moreland? E vale a pena ouvir isto: o mais idiota é que a maioria dos internados nem eram japoneses.

GRIFFITH SMITH
Eram, sim.

MINORU YAMASAKI
Cidadãos americanos, como eu.

GRIFFITH SMITH
Mas você lembra do general DeWitt.

MINORU YAMASAKI
Nunca me esquecerei do senhor general DeWitt.

GRIFFITH SMITH
"Um japa é sempre japa. É um elemento perigoso. Não há maneira de determinar a sua lealdade. Não os quero por aqui. É indiferente se são cidadãos americanos; eles continuam sempre sendo japoneses."

MINORU YAMASAKI
Issei, *nissei* ou *sansei*. Para o general, tanto fazia.

GRIFFITH SMITH
"A nacionalidade americana não é garantia de lealdade. Temos de nos preocupar com o japonês até que ele seja varrido do mapa."

MINORU YAMASAKI
[*Avança alguns passos, deixando* GRIFFITH SMITH *para trás, na penumbra, fumando; o ruído da máquina de escrever, entretanto, que se ouvia*

de forma intermitente, cessou; o ateliê está silencioso; a fala é pausada, didática.]
Em japonês há uma palavra para quem vive fora do Japão: são os *nikkei*, quer tenham emigrado ou sejam apenas descendentes de emigrantes. Mas entre os *nikkei* há diferenças. Os nascidos no Japão são *issei*. O meu pai é *issei*: nasceu perto de Toyama, na ilha de Honshu, a trezentos quilômetros de Tóquio. A família dele era proprietária dos maiores arrozais de Toyama. Viviam bem, não passavam necessidades, porque o meu avô paterno, sendo filho primogênito, herdara todas aquelas terras. Só o primogênito herdava; todos os irmãos mais novos ficavam para trabalhar nas terras da família. Um dos meus tios, segundo filho, emigrou para a América. Quando o meu pai nasceu, já era o terceiro filho; na virada do século, meteu-se num barco e foi se encontrar com o irmão em Seattle. A minha mãe também é uma *issei*: quando nasceu, no Japão, foi a primeira filha dos meus avós; depois teve mais onze irmãos e irmãs. Os pais emigraram, ela ficou no Japão para cuidar dos outros filhos. Passados alguns anos, ela trouxe os irmãos para a América e encontraram-se todos em Seattle. Quando ela chegou, é provável que os meus avós maternos já tivessem falado com uma casamenteira para lhe encontrar um noivo.

Esse noivo era o meu pai. Casaram pouco depois, e eu já sou um *nissei*. *Nissei*: filho de japonês, nascido fora do Japão. Em Seattle, estado de Washington, no ano de 1912. Para os meus pais, Seattle era um mundo estranho. Para mim, era a minha casa. O nosso imóvel de baixo custo era lá no topo de uma encosta. Eu subia as falésias com os meus amigos; uma vez encontramos e colonizamos uma caverna. De bicicletas, explorávamos todas as reentrâncias da enseada, em busca de canais, cascatas e lagoas. Cada uma das sete colinas de Seattle oferece uma vista diferente do mar de Puget, das ilhas e de suas margens irregulares e encantadoras. Os meus pais tinham estudo, mas todo feito no Japão; nunca se habituaram à língua inglesa. Eu estudei aqui, esforçando-me, na escola, para ser igual aos outros. Recusei-me a vestir os ternos de lorde e as gravatas-borboleta que minha mãe queria que eu usasse. Não queria que me chamassem de menininha no recreio. Queria jogar beisebol. Queria até jogar futebol americano, apesar de ser o mais baixinho da turma. A minha mãe me obrigava a aprender piano. Eu resistia, só abrindo uma exceção: para tocar *jazz*. Mas, ao menos, minha mãe sabia o que queria que eu fosse. Eu não sabia o que queria ser.

GRIFFITH SMITH
Então, um dia...

MINORU YAMASAKI
Então, um dia, veio nos visitar o meu tio Koken Ito, irmão da minha mãe. Ele tinha estudado arquitetura na Califórnia, acabara de aceitar um trabalho em Chicago e passou por nossa casa para nos visitar. À noite, depois do jantar, abriu um rolo de desenhos sobre a mesa e nos mostrou o que tinha aprendido a fazer. Por vezes – muitas vezes, aliás – tento lembrar como eram exatamente aqueles desenhos, mas não sou capaz: a minha única lembrança, essa sim tão marcante que consigo reproduzi-la a qualquer momento, é da excitação que senti. Agora eu sabia: era isso que eu queria ser.
[*Para* GRIFFITH SMITH.]
É curioso. Até então não me lembro de alguma vez ter tido consciência das artes, ou até mesmo de ter reparado que elas existiam. Na escola, eu tinha as melhores notas em ciências e matemática, mas sem que isso me desse verdadeiramente prazer; quando colocado perante as disciplinas humanísticas, nas línguas, na geografia, os meus poderes de rapaz aplicado, estudioso e perseverante desapareciam. No fundo, Moreland, eu ainda não tinha entendido que não pertencia a nenhuma

daquelas áreas, ou que pertencia talvez apenas parcialmente a cada uma delas.

Até o momento em que vi os desenhos do meu tio, Moreland, eu nunca tinha me dado conta de como o meu temperamento era profundamente visual. Mas, depois daquele momento, estava explicado o fascínio que eu sentia pela paisagem do mar de Puget, pelas caminhadas pelos bosques em torno de Seattle, pelas subidas a cada uma das sete colinas da cidade. Vocês em Montgomery não têm isso, mas uma cidade com altos e baixos permite sempre vistas novas, planos entrecruzados. Há sempre coisas que nunca vimos. Para um tipo baixo como eu ou alto como você, ela é duas cidades diferentes. A pé ou de bicicleta, quando se é criança ou se é adulto. Entender isso subitamente encheu a minha experiência do mundo com detalhe e abundância. Ou melhor: o meu mundo já estava preenchido de motivos visuais; o que eu entendi foi o que fazer com isso. Com um golpe só, resolvia dois problemas. Organizava essa abundância na paisagem e organizava a indecisão na minha vida. Com um golpe só, sendo arquiteto. Um arquiteto não é exatamente um criador, mas um organizador: separa, sintetiza, dispõe, arruma. Não queira saber como ter noção disso foi uma poderosa ajuda contra a depressão, nos anos ruins.

GRIFFITH SMITH
E o que aconteceu com o seu tio?

MINORU YAMASAKI
Claro, era aí que eu queria chegar. Em 1924 – repare, bem antes de Pearl Harbor –, os *issei* foram impedidos de ganhar a nacionalidade americana, independentemente de há quantos anos já moravam nos Estados Unidos, se tinham ou não filhos americanos etc. Quando o meu tio chegou a Chicago, percebeu que só poderia exercer a profissão se entrasse na Ordem dos Arquitetos, percebeu que só poderia entrar na Ordem dos Arquitetos se tivesse nacionalidade americana e percebeu que sendo *issei* nunca teria nacionalidade americana. Para poder ser arquiteto, voltou para o Japão.

GRIFFITH SMITH
Mas você não era *issei*.

MINORU YAMASAKI
Eu era *nissei* e cidadão americano. Quando chegou a hora, consegui entrar em arquitetura na Universidade de Seattle – embora tenha sido o meu pai que, nervoso com as minhas hesitações, praticamente me obrigou a fazer a matrícula. Mesmo assim, não pense que para os outros eu deixava de ser

um "japa", como diria o general DeWitt. Em certo sentido, era até pior: quanto mais eu era um jovem mediano, mais os desvios à norma eram dolorosos. O preconceito é assimétrico; para quem está na maioria, nunca tem grande importância. Mas eu sei, por experiência própria, que quando se pertence à minoria a coisa entra na sua cabeça. Domina tudo. Afeta todo o seu processo intelectual, a começar pela maneira como você olha para si mesmo. E a coisa fica com você. Ainda há poucos anos eu perguntava ao meu ex-sócio se não seria melhor assinarmos os projetos só com o nome dele, em vez de usar "Nelson & Yamasaki, Arquitetos". Isso é o efeito desses anos de preconceito, uma toxina que fica no organismo e que leva anos para ser eliminada.

GRIFFITH SMITH
Demora porque você fala pouco disso. Ou de qualquer coisa que o assuste.

MINORU YAMASAKI
Pelo contrário. Isso é um efeito, não é uma causa. Eu não sofria porque me calava. Eu sofria e me calava, é diferente. Nunca me lembrei de fazer qualquer coisa. Não me passava pela cabeça, não podia passar pela minha cabeça. A questão é esta: não podia passar tal coisa pela minha cabeça. Uma vez, fizemos vários quilô-

metros de bicicleta para ir ao cinema. Quando chegamos lá, nos disseram que não havia bilhetes; o cinema estava cheio para mim e para o meu irmão, só para nós e não para os outros. Isso aconteceu. O pior era na Costa Oeste, mas, mesmo em Nova York, fui investigado pelo FBI, pela Marinha e pelo Exército antes de conseguir arranjar emprego. Numa entrevista tive de ouvir um cretino garantir que eu sabia antecipadamente do ataque a Pearl Harbor porque tinha casado três dias antes. Uma vez fui com a Teruko para um parque e fomos abordados por um policial.

GRIFFITH SMITH
"Tenho certeza de que se fosse verdade vocês não estariam aqui, mas está ali uma senhora que insiste que eu descubra se vocês são ou não espiões."

MINORU YAMASAKI
Na ocasião não teve graça. Um dia, no metrô, um homem me agarrou pelos colarinhos.

GRIFFITH SMITH
[*Agarra* YAMASAKI *pelos colarinhos.*]
"Você é o quê? China ou japa? China ou japa? Fala!"

MINORU YAMASAKI
"Me largue! Sou cidadão americano!"

[*Solta-se e compõe a roupa, devagar.*]
Ele saiu correndo na estação seguinte. Mas a melhor de todas as histórias foi quando o meu irmão veio para Nova York estudar medicina, e resolvemos alugar um apartamento para nós dois num prédio da Metropolitan Life Insurance Company. Fomos falar com o agente.

GRIFFITH SMITH
"Não vai dar. Os seus filhos vão viver brigando com os filhos dos vizinhos."

MINORU YAMASAKI
"Mas nós não temos filhos."

GRIFFITH SMITH
"Não importa. Não posso permitir que fiquem com o apartamento. É melhor não insistir."

MINORU YAMASAKI
Quer saber da maior, Moreland? Aqueles apartamentos – era eu que os tinha desenhado, como empregado de um ateliê maior. Tinha acompanhado a obra durante três anos. Mas não podia morar lá.

GRIFFITH SMITH
O ônibus arrancou antes de você alcançar a porta de trás.

MINORU YAMASAKI
O quê?

GRIFFITH SMITH
Uma metáfora do sul. Lá em Montgomery, quando os ônibus eram segregados, os negros entravam pela porta de trás para sentar diretamente nos bancos reservados. Claro que quando não tinham bilhete precisavam entrar pela porta da frente para comprá-lo do motorista. Mas depois não podiam simplesmente passar pelo corredor do ônibus, porque assim teriam que atravessar os lugares dos brancos. Então tinham que sair outra vez pela porta da frente, ir para a rua e voltar a entrar pela porta de trás com o bilhete. Entre uma porta e outra, muitos motoristas arrancavam antes que eles entrassem de novo. Isso foi o que aconteceu com você. Ajudou a desenhar o prédio – comprou o seu bilhete. E depois tentou entrar pela porta de trás, você e o seu irmão. Mas aí o ônibus já tinha arrancado para vocês.

MINORU YAMASAKI
Que se lixe. Fiquei calejado quando tive as melhores notas da universidade e nesse ano decidiram que não podiam dar o prêmio de melhor aluno "por causa da depressão". O prêmio era uma viagem de estudo a Paris. Não digo isso para incomodá-lo, Moreland,

não o levo a mal por ter estudado lá. Pelo menos você não foi no meu lugar.

GRIFFITH SMITH
Tem certeza, Yama? Talvez tenha ido. Já pensei muitas vezes que você e eu somos duplos, mas uma espécie de duplos invertidos, cada um do seu lado do espelho. Os Yamasaki chegaram a Seattle neste século. Os Griffith Smith estão no Alabama desde 1735. Ou estavam. Você foi trabalhar no Alasca para poder pagar o curso. Eu fui para Paris com o dinheiro da família. Quando nos encontramos no Tuskegee Institute, já tínhamos feito a nossa parte do caminho do outro lado do espelho. Você já era o arquiteto famoso, capa da *Time*...

MINORU YAMASAKI
– o primeiro *nissei* a fazer a capa da *Time*...

GRIFFITH SMITH
Escolhido para a lista dos "criadores de formas do século XX": Corbusier! Frank Lloyd Wright! Walter Gropius! Mies van der Rohe! Minoru Yamasaki!

MINORU YAMASAKI
E também lá estava o Pei. Os dois únicos asiáticos da lista.

GRIFFITH SMITH
Eu regressei de Paris com objetivos modestos: preservar o centro histórico de Montgomery. Foi então que aconteceu uma coisa estranha: eu amava a história do Alabama, mas detestava a história do Alabama, a escravidão, o racismo. E os meus conterrâneos pareciam não se preocupar tanto em preservar o centro histórico, mas queriam preservar todos os outros elementos da história do Alabama. A princípio, me desesperava mais o descaso com o centro histórico do que a persistência do racismo. Achava sem dúvida que tinha que haver uma solução razoável, talvez porque – como você disse – é diferente estar entre a maioria ou entre a minoria.

MINORU YAMASAKI
Quando você está entre a minoria, a exposição ao preconceito é constante, homeopática.

GRIFFITH SMITH
Não é verdade. Quando você está entre a maioria é que é exposto ao racismo gota a gota. Você fica imunizado. O que é verdade, isso sim, é que a minha passagem da normalidade para a minoria foi brutal.

MINORU YAMASAKI
Ao contrário de mim.

GRIFFITH SMITH
Para você foi da minoria para a normalidade.

MINORU YAMASAKI
E foi gradual.

GRIFFITH SMITH
Não me passava pela cabeça que não houvesse uma decisão razoável para a lei da segregação nos ônibus. Aquilo era um problema à espera de solução, todo mundo tinha que ver isso.

MINORU YAMASAKI
Então, um dia...

GRIFFITH SMITH
Um dia, antes de a confusão dos ônibus acontecer, e antes que ela viesse a acontecer, decidi visitar o governador Wallace.

MINORU YAMASAKI
O seu general DeWitt.

GRIFFITH SMITH
Um parente afastado, apesar de tudo. E tentei ter com ele uma conversa de patrício para patrício, como dois membros da nobreza alabamiana. Eu sabia do que estava falando. Os Griffith Smith tiveram escravos, pelo amor

de Deus! Eu não era nenhum comunista do norte! Estava ali simplesmente para lhe dizer que aquela história dos ônibus tinha que acabar, que dava uma imagem ruim da cidade, que dava uma imagem ruim do estado. Que ainda ia causar problemas.

MINORU YAMASAKI
E ele?

GRIFFITH SMITH
Foi um idiota. Já era. Sempre foi. Continua a ser.

MINORU YAMASAKI
Ah, então correu bem.

GRIFFITH SMITH
Passado algum tempo, pouco antes do Natal, o *Montgomery Advertiser* trazia a seguinte matéria: "Negra multada em caso de segregação relacionado com viagem de ônibus."

MINORU YAMASAKI
E continuava:

GRIFFITH SMITH
"Uma mulher negra foi hoje multada em dez dólares e custos policiais por ter violado uma lei do estado que estipula a segregação

racial nos ônibus da cidade. Rosa Parks, moradora no número 634 da Cleveland Avenue, costureira numa loja do centro, não prestou testemunho no tribunal. O motorista, J. F. Blake, interrogado pelo juiz, contou como Rosa Parks se recusou a levantar para dar o lugar a passageiros brancos que entraram perto do ponto do Empire Theater. Blake explicou que havia 22 negros e 14 brancos no ônibus de 36 lugares e que ele pediu a vários negros que fossem para o fundo para equilibrar os lugares. A acusação estava preparada para chamar outras onze testemunhas, mas foi necessário ouvir apenas o testemunho de outras duas passageiras do sexo feminino. Uma das mulheres disse que havia um lugar vazio onde Rosa Parks poderia ter sentado ao ir para o fundo do ônibus."

MINORU YAMASAKI
Você estava certo.

GRIFFITH SMITH
Estava certo, e de certa forma me sentia mais vingado do que escandalizado. Tudo me dava razão, dia a dia, palavra a palavra, artigo a artigo, título a título:
"Uma reunião de todos os negros da cidade foi hoje convocada para discutir 'ações

futuras' de 'retaliação econômica' contra a Montgomery City Bus Lines. A reunião também é aberta a brancos."
[*Pausa.*]
"Circulares distribuídas no último sábado nos bairros negros convocavam um boicote de protesto pela detenção de Rosa Parks."
[*Pausa.*]
"Hoje no centro da cidade vários ônibus não levavam senão passageiros brancos, desde a frente até os fundos."
[*Pausa.*]
"Todos os operadores de táxi para negros deram hoje ordens aos seus condutores para que cobrassem apenas dez centavos por cabeça durante o dia de hoje, entre as quatro da manhã e as nove, e das três da tarde às onze da noite, num esforço para tornar efetivo o boicote aos ônibus."
[*Pausa.*]
"Boicote a 90%. O administrador da Montgomery City Lines, J. H. Bagley, estimou esta tarde que cerca de 90% dos negros se recusam a utilizar os ônibus."
[*Pausa.*]
"Viaturas da polícia escoltaram hoje os ônibus para evitar conflitos, depois de o comissário Clyde Sellers ter se demonstrado preocupado com uma possível violência contra os negros que quisessem tomar condução."

MINORU YAMASAKI
Bravo, comissário Sellers.

GRIFFITH SMITH
A coisa foi muito mais longe e demorou muito mais tempo do que eu imaginava. Veio o Natal de 1955, entramos em 1956, passou o inverno, chovia torrencialmente todos os dias, não havia negro que pusesse o pé num ônibus. Os telex dos jornais, de costa a costa, já estremeciam com o boicote dos negros do Alabama.

MINORU YAMASAKI
Quantos meses?

GRIFFITH SMITH
Mais de um ano. O Wallace ficou desorientado. Cometeu o grande erro da vida dele, ou pelo menos foi o que eu achei naquela altura: chamou jornalistas de todo o país para verem que o Alabama não era racista.

MINORU YAMASAKI
Até porque os jornalistas só podiam confirmar que era.

GRIFFITH SMITH
Se ele tivesse me dado ouvidos, nada daquilo teria acontecido. De maio até setembro,

Montgomery é quente e úmida, não se pode andar na rua. O boicote continuava. Eles atravessavam a cidade a pé, em frente às câmeras de televisão do mundo inteiro.

MINORU YAMASAKI
E ganharam.

GRIFFITH SMITH
Ganharam. Mereceram ganhar. Em novembro de 1956, o Supremo Tribunal declarou inconstitucional a segregação nos ônibus. Poucos dias antes do Natal seguinte, os negros voltaram a andar de ônibus. Para mim, a história tinha acabado.

MINORU YAMASAKI
E não acabou?

GRIFFITH SMITH
Na passagem do ano, de 1956 para 1957, atiraram contra um ônibus dessegregado. Feriram uma negra. Em 17 de janeiro, descobriram uma bomba no caminho do ônibus. Entretanto, a coisa não era só em Montgomery, mas em Tallahassee também. Até Baton Rouge, Flórida. Só depois de um tempo foi acalmando. Os jornalistas foram embora. E foi então que eu vi o que tinha me acontecido.

MINORU YAMASAKI
Tinha passado para o lado de lá.

GRIFFITH SMITH
Se eu fosse um comunista do norte, um daqueles judeus esquerdistas de Nova York, isso era uma coisa. Agora o Griffith Smith, o Moreland Griffith Smith, um filho da terra – quem é que ele se julga para nos dar lições? Sabiam que está cheio de dívidas? Ouviu dizer que os sócios não falam com ele? Viram como a mulher dele bebia naquele sarau? Nunca mais o estado lhe encomenda nada. Nem o estado nem ninguém. Parece que vão desfazer o ateliê. Ele que faça arquitetura para os negros.

MINORU YAMASAKI
E assim você fez.

GRIFFITH SMITH
Com todo o gosto. Fui para o Tuskegee Institute dar aulas de arquitetura. Passei completamente para o outro lado. Só alunos negros à minha volta. Agora eu era uma minoria dentro da minoria. Eu não ia fazer arquitetura para os negros, ia fazer melhor: ia ensiná-los a fazer arquitetura. Naquela época, eu ainda acreditava.

MINORU YAMASAKI
Acreditava em quê, exatamente?

GRIFFITH SMITH
Na arquitetura. Uma noite estava dormindo, tranqüilo em casa, e tocou o telefone. Eram três da manhã. Quem poderia ser? Quando atendo [*levanta o fone do telefone que está em cima da mesa de trabalho de Yamasaki*], ouço uma voz do outro lado, "nigger lover!", disse uma vez, e depois silêncio.
"Nigger lover!"
Silêncio.
"Nigger lover!"
"Nigger lover! Amante de pretos! Você gosta de pretos, não é? Quer andar com os pretos no ônibus para eles se esfregarem em você à vontade, não é? Deve ser isso que você quer. Gosta de ficar com o cheiro deles na roupa. Eu sei do que você gosta..."
[*Bate o fone com violência, causando o tinir do aparelho.*]

MINORU YAMASAKI
Covardes.

GRIFFITH SMITH
Não me verguei. Estava disposto a tirar o máximo do momento. Era o meu Alabama ou o Alabama deles. E o meu havia de ganhar. Já

estava ganhando. Eu fervilhava, tinha idéias novas todos os dias, a minha cabeça não parava. À minha frente estavam os alunos mais corajosos do sul. Havia de tirar dali os arquitetos do futuro. Um dia disse ao pessoal do Tuskegee: vamos organizar um prêmio para escolher os melhores finalistas. Vamos motivá-los. Vamos trazer arquitetos do norte para eles conhecerem. Os sujeitos famosos. Vamos convidar um júri de prestígio. Sabem quem vamos trazer a Tuskegee? Vamos trazer aquele japonês que desenhou o... que desenhou o aeroporto de Saint Louis! Não sabem? O Yamasaki! Minoru Yamasaki: o sujeito que ganhou o prêmio da Associação Americana dos Arquitetos! O da capa da *Time*!

Entra a SECRETÁRIA.

SECRETÁRIA
Senhor Yamasaki!?

MINORU YAMASAKI
Debbie!?

SECRETÁRIA
Chamou?

MINORU YAMASAKI
Como?

SECRETÁRIA
Ao telefone.

MINORU YAMASAKI
Como!? Ah, não! Foi aqui o senhor Griffith Smith. Ele estava... estava só...

GRIFFITH SMITH
Dando um exemplo. Contando uma coisa.

SECRETÁRIA
Ah, eu não entendi palavra... Nada daquilo. Fiquem descansados.

MINORU YAMASAKI
Debbie, não foi nada. Por que não vai para casa? Por hoje é só.

SECRETÁRIA
Sim, senhor Yamasaki. Não tem mais ninguém no ateliê.

MINORU YAMASAKI
É o que eu pensava. Então pode arrumar as coisas.

A SECRETÁRIA cruza o palco até as pranchetas e desliga, uma a uma, as luminárias. MINORU YAMASAKI e GRIFFITH SMITH continuam a conversa enquanto isso. A sala fica na penumbra, iluminada sobretudo pela luz que vem do exterior, pelas janelas.

MINORU YAMASAKI [*Continuação.*]
Mas não tinha que largar a arquitetura.

GRIFFITH SMITH
Você não entende, Yama. Eu amo a arquitetura. Mas não preciso dela. Você se preocupa com a segregação. Mas não pode largar a sua vida para lutar contra ela. Eu posso. E de qualquer forma não sou tão bom arquiteto quanto você. Por isso nos encontramos no meio do espelho e trocamos de caminho. Da estética para a política. Da política para a estética. Dos males da sociedade para a arquitetura, ida e volta.

MINORU YAMASAKI
As duas coisas ao mesmo tempo é que não dá. Deixei de acreditar nisso.

GRIFFITH SMITH
Também eu. Só que tirei as conseqüências opostas.

Sai a SECRETÁRIA. GRIFFITH SMITH *faz uma pausa e olha pela porta para se assegurar desse fato.*

GRIFFITH SMITH [*Continuação.*]
Além disso, os telefonemas não paravam. Para a minha mulher, para os meus filhos. E os patrícios de Montgomery, afinal de con-

tas, acabaram tendo razão. O ateliê entrou mesmo na bancarrota. Os meus sócios não agüentaram a pressão. Ainda me fizeram passar por um inferno no tribunal por causa das dívidas. Desfizemos a companhia. E há seis anos que nos mudamos para Atlanta, Geórgia.

MINORU YAMASAKI
[*Aproxima-se de uma janela e olha para o exterior da cena.*]
Olha só para este fim de tarde.

GRIFFITH SMITH
Durante muito tempo pensei que a vitória estava na mão. Quantas vezes me senti vingado. Os meus conterrâneos não quiseram ouvir o que eu tinha para lhes dizer, não prestaram atenção enquanto era tempo, não quiseram acreditar no que estava por vir. "Agora, vejam o que lhes aconteceu. Ponham os olhos nisto." Mas, vinte anos passados, eu é que perdi a minha cidade, eu é que perdi a minha profissão, e o idiota do Wallace é que é o candidato à presidência da República.

MINORU YAMASAKI
A esta hora costumo estar no carro a caminho de casa. Ou, antes, parado num engarrafamento qualquer no meio desta Meca

do automóvel, que, aliás, é um dos únicos momentos do dia em que posso parar para meditar um pouco. Um dos raros momentos em que fico sozinho, apreciando a luz que se reflete nos tetos e nos vidros dos automóveis, sem decisões para tomar, ali, perante aquele novelo de viadutos e estradas e interseções e trevos rodoviários, tudo na luz crepuscular, como se fosse um Grand Canyon industrial. E praticamente não há uma só vez em que não me lembre de quando ia para o Alasca, nos anos da depressão, todos os verões, para ajudar a pagar a universidade. Cinco dias de viagem, de Seattle até o Alasca, mais de mil quilômetros. Chegávamos lá e arranjávamos emprego nas fábricas de conservas. Fazíamos turnos de vinte horas enlatando salmão, sem tempo para pensar, com a mente completamente em branco, sem dia nem noite, o céu sempre azul a qualquer hora, sem saber que horas eram, às duas ou três da madrugada uma noite pouco mais escura do que está agora. Ao deixar a fábrica para cair morto no quarto, fosse a hora que fosse, dava de cara com aquela paisagem. Mar, montanhas. Parecia que estava reaprendendo a ver. Os barcos chegavam, vinham do golfo do Alasca, do mar de Behring, das Aleutas, descarregavam toneladas de salmão, não havia tempo a perder. Ali só trabalhavam orientais, japoneses *nissei* e filipinos; havia 10 mil peixes por hora para descarregar nas correias de abastecimento, que os levavam até uma máquina que cortava as cabeças e as caudas dos salmões. Essa máquina era chamada de "iron chinks" – o "china de ferro", porque substituía o trabalho de vários japoneses.

GRIFFITH SMITH
China, japa, dá no mesmo. Você sabe que é difícil distinguir.

MINORU YAMASAKI
No auge da temporada, semanas de 126 horas de trabalho, 21 horas 6 dias por semana. E andávamos ali com umas varas, empurrando salmões já mortos e quantas vezes já podres, para serem despedaçados e enlatados. E era tudo enlatado, até aqueles que tinham ficado esmagados e colados no fundo dos navios e que eram raspados com uma pá de madeira. Alguém, em algum lugar, comprava e comia aquilo.

GRIFFITH SMITH
Entre outros, estou certo que eu.

Entra a SECRETÁRIA, *hesitante.*

SECRETÁRIA
Senhor Yamasaki?

MINORU YAMASAKI
Sim, Debbie. Se quiser pode sair. Já tinha lhe dito, não tinha?

SECRETÁRIA
Eu sei, senhor Yamasaki. Antes de sair...

MINORU YAMASAKI
Diga.

SECRETÁRIA
O senhor acertou.

MINORU YAMASAKI
Acertei?

SECRETÁRIA
Acertou.

MINORU YAMASAKI
Acertei como?

SECRETÁRIA
O senhor estava certo.

MINORU YAMASAKI
Eu sei que estava certo. Mas em quê?

SECRETÁRIA
Ligaram do *Washington Post*.

MINORU YAMASAKI
Já estava esperando por isso. Pode dizer a eles que não estou interessado.

SECRETÁRIA
Já disse.

MINORU YAMASAKI
Já disse? Ótimo.

SECRETÁRIA
Eles dizem que vocês poderiam chegar a um consenso.

MINORU YAMASAKI
Qual consenso? O único consenso é me deixarem em paz.

SECRETÁRIA
Não sei, senhor Yamasaki. Disseram que poderiam fazer um perfil, e que o senhor Yamasaki poderia contar a sua parte da história. Disseram que tinham espaço suficiente.

MINORU YAMASAKI
Está certo, Debbie. Pode ir agora.

SECRETÁRIA
Eu disse a eles que o senhor Yamasaki não estaria interessado.

MINORU YAMASAKI
Disse? Fez bem.

SECRETÁRIA
Também ligou a senhora Yamasaki.

MINORU YAMASAKI
Ligou?

SECRETÁRIA
Para dizer que estava tudo certo para o jantar.

MINORU YAMASAKI
Quem era?

SECRETÁRIA
A senhora Yamasaki.

MINORU YAMASAKI
Do *Washington Post*.

SECRETÁRIA
Um senhor com nome alemão.

MINORU YAMASAKI
Já sei quem é, Debbie. Pode ir agora.

SECRETÁRIA
Von qualquer coisa. O nome.

MINORU YAMASAKI
Eu sei quem era, Debbie. Até amanhã, Debbie.

SECRETÁRIA
Até amanhã, senhor Yamasaki.

Sai a SECRETÁRIA.

GRIFFITH SMITH
Isso não parece normal de sua parte. Agora recusa convite do *Post* para fazer o seu perfil?

MINORU YAMASAKI
Eles só querem um perfil meu para pendurar na porta, como alvo de dardos. Quer que eu colabore?

GRIFFITH SMITH
Então, neste caso, mais uma razão para aceitar a oferta, explicar-se com suas palavras. Melhor do que deixar tudo na mão deles.

MINORU YAMASAKI
Moreland, Moreland, não se faça de ingênuo. Ainda é o mesmo tipo que foi a Washington para convencer o Partido Democrático a não

apoiar o Wallace, não conseguindo uma única reunião. Lembra se o *Post* teve piedade de você, naquela altura?

GRIFFITH SMITH
Foram implacáveis.

MINORU YAMASAKI
Então você sabe perfeitamente...

GRIFFITH SMITH
Sei perfeitamente que você tem que encarar o jogo. Agora é que você é um alvo fácil, calado...

MINORU YAMASAKI
Não estou calado.

GRIFFITH SMITH
Como um pato à espera de um tiro.

MINORU YAMASAKI
Não estou calado. Ainda antes de você chegar, estava falando com jornalistas.

GRIFFITH SMITH
Mas você não fala com o *Washington Post*.

MINORU YAMASAKI
Não. Nem com o *New York Times*.

GRIFFITH SMITH
Ah, nem com o *Times*?

MINORU YAMASAKI
Nem pensar. Pelo menos agora. Depois, não sei. Posso voltar a falar. Agora não falo com a *Time*, nem com a *Newsweek*, com nenhum dos grandes.

GRIFFITH SMITH
Então decidiu falar somente com os que não tiverem leitores?

MINORU YAMASAKI
Mas os outros têm leitores. O *Globe* tem leitores, o *Chronicle* tem leitores, o *Inquirer* tem leitores, o *Courant* tem leitores...

GRIFFITH SMITH
O *Courant*! Francamente...

MINORU YAMASAKI
E, acima de tudo, ficam agradecidos se eu falar com eles. E em troca não me tratam com arrogância. Não me tratam como trataram você, compreende?

GRIFFITH SMITH
Já compreendi que você se lembra muito bem desse episódio.

MINORU YAMASAKI
Depois não adianta escrever cartas ao diretor, senhor Griffith Smith. Eu sei muito bem o que estou fazendo: também falaria com as emissoras de TV, se me dessem condições ideais.

GRIFFITH SMITH
Mas como as condições ideais não existem...

MINORU YAMASAKI
... não falo. A correlação de forças não é boa para mim. Sabe quem é este Von qualquer coisa do *Post* que ligou aqui, não sabe?

GRIFFITH SMITH
É o Von Eckardt. Wolf von Eckardt.

MINORU YAMASAKI
Você sabe de muita coisa. E também sabe perfeitamente o que *herr* Von Eckardt escreveu sobre mim: "Minoru Yamasaki é o símbolo da arrogância e da ambição desmedida das nossas cidades". Chega?

GRIFFITH SMITH
Você tem que entender...

MINORU YAMASAKI
Tenho que convidá-lo para vir tomar um cafezinho com a gente.

GRIFFITH SMITH
Não sugiro...

MINORU YAMASAKI
Ou talvez ele apareça sem ser convidado.

GRIFFITH SMITH
Ouça. Ao homem, pagam-lhe para ter opiniões...

MINORU YAMASAKI
Ouça antes você: talvez ele apareça de surpresa.

GRIFFITH SMITH
Ouvi perfeitamente. E daí?

MINORU YAMASAKI
Daí que não acredito no seu pretexto.

GRIFFITH SMITH
E qual é o pretexto?

MINORU YAMASAKI
Combinou tudo com a Teruko. Ela telefonou para você lá em Atlanta, ou você telefonou aqui para nossa casa, é a mesma coisa.

GRIFFITH SMITH
Fui eu.

MINORU YAMASAKI
Você não vai daqui para Madison, não veio de um encontro com políticos em Washington.

GRIFFITH SMITH
E sei que o aeroporto de Saint Louis não é a sua primeira obra. E sei muito bem que desenhou Pruitt-Igoe. Todo mundo sabe. E sei perfeitamente que hoje é o dia marcado para a implosão.

MINORU YAMASAKI
"A implosão de Pruitt-Igoe marcará o momento histórico do fim das ilusões. É a morte da cidade do futuro. Com Pruitt-Igoe, Minoru Yamasaki apontou para as estrelas – mas não saiu do solo." É o seu amigo Von Eckardt.

GRIFFITH SMITH
Por que você não lhe responde, Yama?

MINORU YAMASAKI
Porque para eles eu sou apenas um símbolo. E o símbolo ganha sempre. É sucinto, está ali em substituição de qualquer coisa demasiado prolixa, e é belo. Os críticos adoram, os artistas também. Eu já fui o símbolo de tudo o que havia de novo e de bom em arquitetura, e não me queixei, foi até muito agradável.

Seria demasiado difícil explicar a eles que
por trás de Pruitt-Igoe há camadas e camadas de história, não apenas minha, coisas que não dominei.

GRIFFITH SMITH
Era um bom projeto, Yama.

MINORU YAMASAKI
Pruitt-Igoe era o melhor projeto. Digo isso milhares de vezes. O problema é: como provar para eles que era bom? Eu já quase me esqueci de que desenhei Pruitt-Igoe. Eu próprio às vezes acho que aquele era outro eu. Teria que dizer a eles o seguinte: em 1950 havia um arquiteto já não tão novo, que nunca tinha tido uma encomenda decente, que aliás nem bem arquiteto era. Eu trabalhava em Detroit como desenhista para fábricas de automóveis. Antes tinha trabalhado em Nova York como desenhista dos ateliês grandes – foi aí que desenhei os tais prédios onde não me deixaram morar com o meu irmão. Antes disso, dei aulas de aquarela a pintores de domingo. E antes disso embrulhava porcelanas para uma empresa japonesa. Tive a primeira oportunidade de progredir aos quarenta anos. Um dos meus ex-sócios aqui conhecia gente em Saint Louis, Missouri. O *mayor*, senadores do estado, tudo o que era

gente importante. Eles tinham um projeto para alojar três mil famílias num empreendimento público. Uma cidade dentro da cidade. Vinte e três hectares de área, 33 edifícios, segregado. Duas áreas. Pruitt para pessoas de cor. Igoe para brancos. Eram as regras de então. Mas todo mundo – branco ou de cor – ia ter a melhor arquitetura possível, a mais atualizada, a mais perfeita. Agarrei-me a Pruitt-Igoe com toda a minha ambição. O que eu fiz não envergonharia Corbusier. Havia espaços verdes, áreas de sombra por baixo dos prédios, zonas comunitárias com grandes janelas, lugar para plantas, para as brincadeiras das crianças, para tudo. Pensei rigorosamente em tudo. Os elevadores foram uma das inovações mais admiradas, talvez aquela que me deu mais orgulho. Só paravam de três em três andares. Isso não só poupava espaço, que era aproveitado para as salas comunitárias, como levava as pessoas a caminhar juntas, a se encontrar, a se conhecer melhor.

GRIFFITH SMITH
Muito engenhoso.

MINORU YAMASAKI
Os prêmios não vieram por acaso. Todo mundo reconheceu que estava ali uma coisa espe-

cial. Uma obra contemporânea, modernista, mas que ia ao encontro das características mais humanas da comunidade, que jogava a favor da delicadeza. Era uma cidade, uma família, uma aldeia, tudo ao mesmo tempo. A Associação Americana dos Arquitetos me deu o prêmio ainda antes de os prédios estarem prontos. O governo do Missouri encomendou-me o novo aeroporto de Saint Louis. Logo depois, fiz o Wayne Center, o tal com os elementos em leque. As estruturas eram leves, luminosas. A sede de uma empresa de alumínios, aqui no Michigan, parecia que flutuava no ar. Todo mundo adorou. O edifício estava levantado sobre pilares em frente a um lago. À noite, iluminado, tinha reflexos de alabastro. Nada mau para uma empresa de alumínios!

GRIFFITH SMITH
Depois os primeiros arranha-céus.

MINORU YAMASAKI
Mas não uns arranha-céus quaisquer.

GRIFFITH SMITH
E depois a *Time*: "A arquitetura de Minoru Yamasaki é quase demasiado bonita para ser grandiosa. Esse *nissei* de Seattle está apaixonado pela tecnologia ocidental e pelo requinte oriental. O templo de sabedoria que

desenhou para a Universidade de Detroit, refletido numa lagoa fronteira, deve qualquer coisa ao Taj Mahal e qualquer coisa aos leques de papel japoneses, embora toda a estrutura seja inteiramente moderna, em vidro e concreto. Yamasaki prefere o rigor à ornamentação e está aberto à colaboração da natureza, que confere às suas criações uma beleza essencial. A luz do sol coada pelas suas pirâmides de vidro permite a constante alteração da luminosidade nos salões desta gema arquitetônica."

MINORU YAMASAKI
Ao que eu respondi: "A tecnologia moderna trouxe-nos o caos. Trouxe-nos a velocidade, o medo, a congestão e o desassossego. Precisamos de lugares para reequilibrar as nossas vidas. A arquitetura nos permite isso. Quando as pessoas entram em edifícios bem desenhados sentem serenidade, prazer".

GRIFFITH SMITH
Estética e ética.

MINORU YAMASAKI
Às vezes. Com sorte.

GRIFFITH SMITH
Nos dias bons.

MINORU YAMASAKI
Os anos 1950 passaram num sonho. No fim da década, o Instituto Smithsonian decidiu que eu era tão importante que precisavam recolher os meus ensinamentos para o futuro, numa longa entrevista. E eu, que me levava a sério, dei a eles o que pediam: "Todos os edifícios têm que ter consistência. A consistência é a qualidade que mais apreciamos, por exemplo, na catedral gótica. A qualidade gótica do edifício não vem somente dos seus elementos – por mais que eu goste dos arcos góticos, sou o primeiro a admitir –, mas vem da sua consistência interna".

GRIFFITH SMITH
Foi o auge do yamagótico.

MINORU YAMASAKI
Às vezes nos limites da arrogância: "Não tenho paciência para quem vem e faz um edifício eclético. Não acredito em tal coisa. Nunca o faria. Não tenho dúvidas sobre a confusão em que se encontra o pensamento arquitetônico nos Estados Unidos. Todas aquelas formas que se tentam superar umas às outras quando colocadas num lugar como Miami Beach resultam no mais perfeito caos. Fiquei literalmente doente quando fui lá".

GRIFFITH SMITH
"Já os edifícios do passado, no entanto, deleitam-nos porque são abundantes na sua essência, porque neles desfrutamos dos planos e das sombras, daquelas silhuetas, daquela variedade, imaginação, delicadeza de formas. Por que deveríamos nos limitar a uma arquitetura retangular?"

MINORU YAMASAKI
Isso foi quando eu descobri a arquitetura islâmica.

GRIFFITH SMITH
As viagens pelo mundo.

MINORU YAMASAKI
O dinheiro.

GRIFFITH SMITH
Clientes ricos.

MINORU YAMASAKI
A mulher do magnata das ferrovias.

GRIFFITH SMITH
"A morena Lucille McGinnis, casada com o magnata Pat McGinnis e há algum tempo decoradora de interiores, foi avistada esta semana na Linha de New Haven com o ar-

quiteto Minoru Yamasaki, de Detroit. A idéia de ambos é renovar as lúgubres e desconfortáveis estações da zona que Lucille chama 'bairros dos camisas-de-flanela'."

MINORU YAMASAKI
Que figura, essa Lucille! "Caramba, Minoru, com mais alguns centavos deixamos isso com uma cara boa. Posso tratá-lo por Minoru?"

GRIFFITH SMITH
Minoru, Yama, trate-me como quiser. Lucille.

MINORU YAMASAKI
Acho que nessa altura me dividi em três ou quatro yamasakis diferentes. Perdi o domínio do meu ser. Divorciei-me da Teruko. Casei-me duas vezes seguidas. Aceitava todas as encomendas. Dormia no ateliê. Adoeci por excesso de trabalho. Fui internado com dores medonhas no estômago. Não sei como sobrevivi: quando me abriram, tinha úlceras prestes a rebentar, várias delas. Tiveram de me operar quatro vezes em cinco meses.

GRIFFITH SMITH
E estava sozinho.

MINORU YAMASAKI
Sozinho. E Pruitt-Igoe cada vez pior. Um dia,

quando eu morrer e me autopsiarem, vão ver as cicatrizes dessas úlceras. Estou convencido de que cada uma delas vai ter o seu nome, a sua origem, a sua história. Por baixo da maior de todas elas vai estar escrito: Pruitt-Igoe.

GRIFFITH SMITH
A minha chama-se Wallace. Wally. É uma hemorróida.

MINORU YAMASAKI
Em 1954, o Supremo Tribunal determinou que os edifícios do estado do Missouri tinham que ser dessegregados. Pruitt deixava de ser para negros e Igoe para brancos.

GRIFFITH SMITH
Depois disso, brancos e negros passaram a se cruzar em harmonia no caminho do elevador.

MINORU YAMASAKI
Os brancos foram embora. Os empreiteiros começaram a empregar material da pior qualidade. Começaram os desvios de dinheiro. Os fornecedores ganharam, a máfia deve ter entrado, os políticos provavelmente. Eu não tinha mão naquele processo. Durante todos aqueles anos de êxito, Pruitt-Igoe foi uma mancha na minha alma. Cheguei a me arrepender de o ter desenhado.

GRIFFITH SMITH
Mas sem Pruitt-Igoe não teria havido êxito.

MINORU YAMASAKI
Foi tudo uma catástrofe desde o início. Logo no dia da inauguração havia elevadores que não funcionavam. Nos demais não se podia andar tranqüilo com tantos solavancos e paradas. Era um pânico permanente. As coisas mais simples davam errado. Quem queria abrir uma janela ficava com a maçaneta na mão. Com as portas era a mesma coisa. Os vidros estavam mal colocados, o revestimento caía. O estado do Missouri não fez qualquer esforço de reparação ou manutenção. A classe média negra e os remediados fugiram logo que possível. Ficaram os miseráveis.

GRIFFITH SMITH
Que nunca conseguiriam cuidar sem ajuda de edifícios daquela dimensão.

MINORU YAMASAKI
Durante dezesseis anos não houve qualquer manutenção. Como as janelas não se abriam, no verão o calor era insuportável. Os vidros eram quebrados, mas nunca substituídos. Uma lâmpada queimada não era trocada. Os espaços comunitários tornaram-se pavorosos. Começou a haver rumores de violência

sexual. As mulheres não queriam subir as escadas. Não tinham alternativa, por causa do sistema de elevadores.

GRIFFITH SMITH
Depois veio o Vietnã. Depois chegou a heroína e as gangues de traficantes.

MINORU YAMASAKI
Cada gangue tomou conta de um edifício. Havia tiroteio entre os blocos.

GRIFFITH SMITH
Foi aí que eu voltei a encontrar notícias sobre Pruitt-Igoe. Na seção de crimes. Uma assistente social foi assassinada.

MINORU YAMASAKI
Houve vários. Os funcionários do gás ou da água recusavam-se a ir a Pruitt-Igoe. O abastecimento foi interrompido. A coleta de lixo foi suspensa indefinidamente. As pilhas de lixo na rua eram uma coisa digna de se ver, verdadeiras pirâmides. Os policiais, evidentemente, também não entravam. As coisas se tornaram tão deploráveis que tiveram de apelar a Washington. Aí já era tarde demais. A Direção Federal de Habitação deu ordens para implodir.
Pruitt-Igoe durou menos de vinte anos.

GRIFFITH SMITH
Há um sociólogo, Robert K. Merton – um sujeito muito esperto –, que inventou uma teoria das "conseqüências involuntárias". E a teoria diz o seguinte: cada passo que você dá tem sempre, pelo menos, uma coisa em que não pensou. Em cada decisão há sempre uma coisa em que não pensou, ou mais do que uma, ou então pensou mas não achou que fosse acontecer. E essa coisa tem pelo menos uma conseqüência, ou até mais do que uma, e cada uma dessas conseqüências tem outras conseqüências ainda. Ninguém consegue prevê-las todas. Tentamos fazer o bem, mas todo mundo fica infeliz.

MINORU YAMASAKI
E então? Ninguém mais desenha prédios? É essa a conclusão?

GRIFFITH SMITH
A conclusão é que é preciso ter mais cautela.

MINORU YAMASAKI
Vai todo mundo fazer sociologia, nesse caso? Ou política, como você?

GRIFFITH SMITH
Como eu, espero que não.

O ARQUITETO

MINORU YAMASAKI
Pois eu sou apenas o arquiteto, Moreland!
Não sou o político, não sou o administrador.
Não sou o Supremo Tribunal.

GRIFFITH SMITH
Ninguém lhe pede isso.

MINORU YAMASAKI
E eu não vou ser. O meu papel é fazer edifícios belos para a eternidade. Não há lições de política, Moreland. A única lição real é desenhar prédios para gente rica. Têm dinheiro para cuidar deles.

GRIFFITH SMITH
Ou poder para convencer o Estado a fazê-lo.

MINORU YAMASAKI
O resto é estética.

GRIFFITH SMITH
Eu não consigo mais pensar assim nesses termos, de beleza, de eternidade. Já não sou o homem estético.

MINORU YAMASAKI
Como você pode afirmar isso, Moreland? Sabe qual é o teste?

GRIFFITH SMITH
Sei qual não é, Yama: não tem nada a ver com ser crítico de arquitetura no *Washington Post*.

MINORU YAMASAKI
Pois o meu teste é o seguinte: a pessoa que faz um caminho diferente para casa. Não é o caminho mais rápido, não tem que fazer aquele, não é obrigado. No entanto, gosta daquele caminho. Essa pessoa é o homem estético. Parou no meio da avenida para ver a multidão atravessar a rua. É a pessoa que já viu milhares de vezes uma nesga de vista entre dois prédios, mas que continua a virar a cabeça cada vez que passa lá. Aquele que gosta de olhar para as poças de óleo de automóvel depois das primeiras chuvas. Aquele que gosta da chuva. Essas pessoas podem não ser artistas. Mas em todos esses gestos está o impulso da arte. Até ver os desenhos do meu tio, não conseguia intuir isso, mas já era um esteta. Depois, ao longo da vida, é uma coisa que você vai acarinhando, uma coisa que vai dando fruto. Hoje estou certo de que poderia apreciar até uma implosão...

GRIFFITH SMITH
Acho melhor você não ter ilusões.

MINORU YAMASAKI
Se eu pudesse desligar a memória por um momento, estou certo de que poderia apreciar a destruição. Já viu a implosão de um edifício, Moreland?

GRIFFITH SMITH
Na televisão.

MINORU YAMASAKI
É uma coisa bela. Daquelas coisas belas e assustadoras. Primeiro explodem as cargas de dinamite nos pilares principais. Vê-se apenas um jato lateral de poeira, expelido pelas janelas e aberturas, como se alguém tivesse varrido o pó de todos os andares exatamente ao mesmo tempo. Se a coisa for bem-feita, praticamente não há intervalo entre as explosões. Caso contrário, parece uma seqüência de bombinhas de carnaval, daquelas que as crianças usam. Custa a crer que seja suficiente para mandar um edifício abaixo, mas a partir daquele momento o processo já é irreversível. Decisões foram tomadas, alavancas foram acionadas, a corrente elétrica viajou até as cargas. Nada disso, que é o mais importante, encheu o olho. O mais importante é o menos visível. Não dá o que pensar? Mas depois daquelas nuvenzinhas de pó terem ficado suspensas no

ar por menos de um segundo, um edifício enorme começa a cair, aparentemente sozinho, como um...

GRIFFITH SMITH
... castelo de cartas?

MINORU YAMASAKI
Não. Como um bolo que desmorona ao sair do forno. Como uma estante de livros mal instalada. Como uma pilha de caixas de sapatos pisadas por um pé gigante e invisível. É difícil descrever, Moreland, não há nada assim na natureza. Nada. Faltam comparações. Cada prédio cai de uma maneira diferente, com o seu temperamento, como se deixasse a sua impressão digital. Alguns dobram-se em dois quando o teto é projetado para o interior do edifício. Em outros, os andares chocam sucessivamente, de cima para baixo, ficando como se fossem um bolo de bolacha. Outros inclinam-se suavemente para a frente antes de colapsar. Outros ainda vão mergulhando devagar, como se um buraco se tivesse aberto no solo debaixo deles, descendo graciosamente de pé, intactos até o último momento, lançando contra o solo as suas milhares de toneladas de metal, vidro e concreto, como se fossem uma lança cravada na terra. Como se fossem puxados para o sub-

solo por um elevador escondido debaixo da crosta terrestre. E depois desaparecem por trás de uma nuvem de entulho, poeira, partículas de cimento e papel, pedaços de madeira e mobiliário, tecidos e porcelana, carpete e pigmentos de tinta, uma nuvem de todas as coisas que eles mesmos acumularam durante anos, poeira que esteve encerrada e que vai lentamente progredindo em torno do seu antigo contêiner, ocupando os espaços vazios, subindo para o céu ou rolando pelo asfalto das ruas como um rio, um glaciar de pó mais alto do que uma pessoa. Cada partícula, cada elemento comporta-se à sua maneira, uns mais leves que o ar, outros mais pesados que o solo, e cada um deles numa relação entre si, conforme a posição em que se encontravam, conforme o peso que tinham, conforme a sua densidade, permutando e turbilhonando de forma caótica, sempre diferente, sempre heterogênea, sempre impossível de prever, sempre irreproduzível. É em si, talvez, a parte mais bela para os olhos, embora seja apenas o efeito de tudo o que se passou antes e não possua importância alguma. Não foi a decisão tomada no gabinete, não foi o puxar da alavanca nem o apertar do botão, não foi o impulso elétrico, não foi nenhuma das coisas decisivas. Mas é de todas a mais esmagadora e inquietante, quando vemos aquela massa desdobrar-se e avançar em nossa direção, nem tão lentamente como o nevoeiro, nem tão rapidamente como um trovão, mas sem nada que a consiga parar. E nos perguntamos: será que eu conseguiria respirar dentro daquilo?

GRIFFITH SMITH
Já chega, Yama.

MINORU YAMASAKI
Agora imagine só, Moreland, como será monumental a implosão de 33 edifícios em Pruitt-Igoe, cada um deles com capacidade para milhares de pessoas. Imagine como será grandiosa aquela nuvem de poeira.

GRIFFITH SMITH
Vamos, Yama, não é boa idéia remexer nisso.

MINORU YAMASAKI
Como eu dizia, não tem importância.

GRIFFITH SMITH
Então nesse caso vamos embora. A Terry conta com a gente em casa.

MINORU YAMASAKI
Eu já disse à Teruko que não ia. Há trabalho a fazer.

GRIFFITH SMITH
Isso é ridículo, Yama. Vamos, estou morrendo de fome. Se você não quer ir para casa, vamos comer em algum lugar.

MINORU YAMASAKI
Nada disso. Não estou disposto a exibir o meu fracasso. Estou cansado. Cansado de palavras. Palavras do *Post*, palavras do *Times*, palavras suas, palavras da Teruko, palavras dos críticos, palavras de todo mundo. O Reyner Banham. O Twombly. Até a Ada Huxtable. Todos. E o Von Eckardt: "A cidade do futuro morreu! A cidade do futuro morreu!". Preciso que me deixem, todos vocês.

GRIFFITH SMITH
E isso é mais ridículo ainda.

MINORU YAMASAKI
Você veio para isso. Veio para me ver no pior dia da minha carreira. Agrada-lhe o espetáculo.

GRIFFITH SMITH
E você diz isso para me escandalizar.

MINORU YAMASAKI
A implosão da primeira obra. Em público e com aplausos da multidão.

GRIFFITH SMITH
O pesadelo de qualquer arquiteto.

MINORU YAMASAKI
A não ser que não faça arquitetura. Aí então é fácil.

GRIFFITH SMITH
Qual é a intenção, Yama?

MINORU YAMASAKI
Quero que você vá embora. A intenção é ficar só.

Há um silêncio prolongado.
GRIFFITH SMITH *acaba se levantando e recolhendo as suas coisas. Olha para trás por um momento. Sai.*
MINORU YAMASAKI *não reage. Está imóvel, depois mexe apaticamente em alguns dos seus papéis. Pára. Finalmente, pega o paletó, enrola-o e dirige-se para o sofá, como se fosse improvisar um lugar para dormir. Pára de novo no meio do que está fazendo. Desdobra o paletó, veste-o com gestos lentos. Sai com uma passada intermediária, nem demasiado rápida nem demasiado lenta.*

Tudo está às escuras. Depois de alguma espera, vê-se o foco de luz de uma lanterna que vem do fundo e procura o seu caminho pelo meio da cena. Quem a segura é WOLF VON ECKARDT, *vestido impecavelmente em tons escuros, procedendo com circunspecção. Não chegou através da porta que foi utiliza-*

da pelas outras personagens. Quando se aproxima da ribalta, percorre com o foco de luz tudo o que está para fora da cena, incluindo os rostos do público, a quem por vezes encandeia ou fita nos olhos. Alguns dos objetos iluminados pela lanterna durante vários segundos (por exemplo, um candeeiro) podem depois permanecer inexplicavelmente iluminados, mesmo após afastado o foco de luz. VON ECKARDT *ilumina uma das pranchetas, sobre a qual se começa a projetar imagens de Pruitt-Igoe na sua fase de degradação final. Quando* VON ECKARDT *fala, dirige-se ao público. Enquanto fala, a área de projeção do vídeo vai aumentando gradualmente até ocupar a máxima superfície possível. Pode haver um acompanhamento musical, lento, grave e discreto.*

VON ECKARDT
"A cidade do futuro morreu.
Foi um fiasco trágico. Morreu em Saint Louis, no dia 21 de abril de 1972, na explosão de dinamite que demoliu o primeiro dos 33 blocos de apartamentos de Pruitt-Igoe.
Em 1951, a *Architectural Forum* considerava que Pruitt-Igoe era maravilhosamente refrescante. Proclamava que a obra pouparia dinheiro e salvaria pessoas.
Na década seguinte, em dezembro de 1965, a mesma revista relatava que o projeto se transformara num sorvedouro de dinheiro.
E pior – num sorvedouro de pessoas.
As autoridades usaram os conceitos arquitetônicos de Yamasaki para concentrar e

isolar os miseráveis com um gasto mínimo de verbas. O congresso dos Estados Unidos chegou a declarar que o uso de varandas seria um 'luxo'. Luxo a que os locatários das habitações públicas não teriam direito.

Dez anos depois de o projeto estar acabado, foram forçados a gastar sete milhões de dólares na primeira tentativa para salvá-lo. Foi muito mais, sem dúvida, do que teria custado arborizar a área e dar as comodidades que Yamasaki tinha pedido. Sem sucesso.

Um relatório recente do Instituto dos Arquitetos Americanos diz simplesmente: 'Muito do que temos construído, principalmente depois da Segunda Guerra Mundial, é desumano'.

Aqueles que os deuses querem destruir, como se notou já repetidas vezes, começam primeiro por enlouquecer. Há, como é evidente, gênio nessa loucura. Mas muitas civilizações do passado foram varridas não por não saberem construir em altura ou por não saberem construir com engenho, mas antes porque confundiram o progresso com um sonho de vaidade e ambição.

A cidade do futuro morreu com a agonia de Pruitt-Igoe. A implosão acabou com um sonho que já há muito se tornara num pesadelo."

O ARQUITETO

VON ECKARDT desaparece por detrás das pranchetas antes que a projeção de vídeo mostre as imagens da implosão de Pruitt-Igoe. O acompanhamento musical, se houver, pode aqui tornar-se mais enfático. Acendem-se as luzes da sala no momento em que os edifícios já estão por terra. A projeção continua sempre, mostrando agora as nuvens de poeira que resultam da queda dos edifícios.

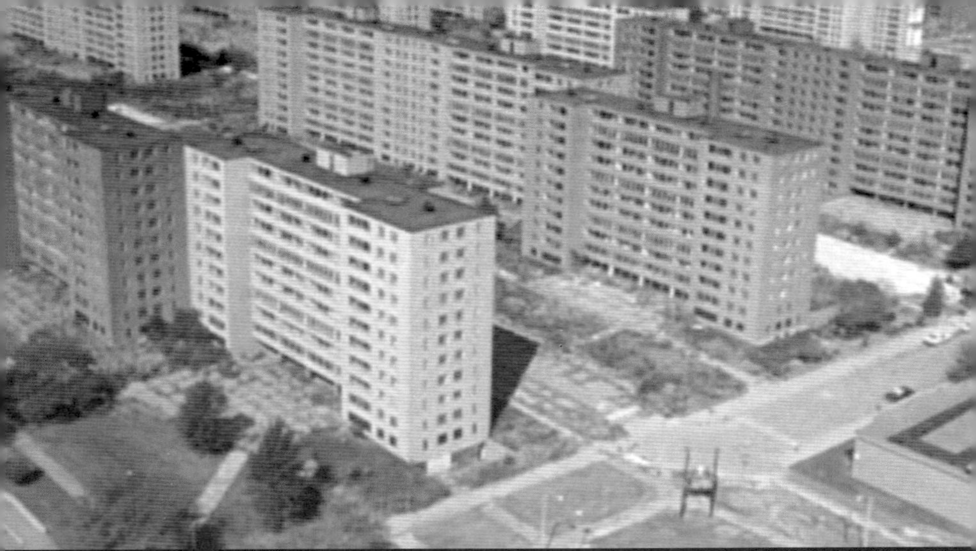
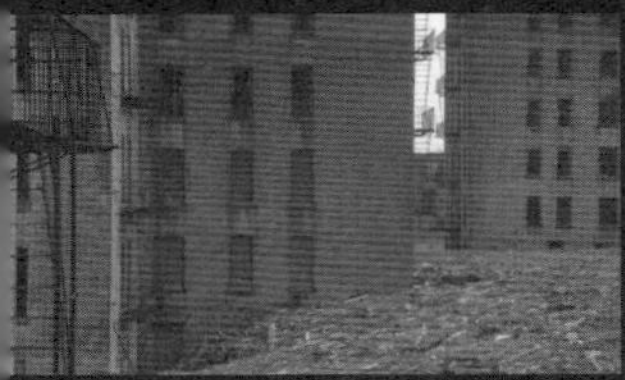
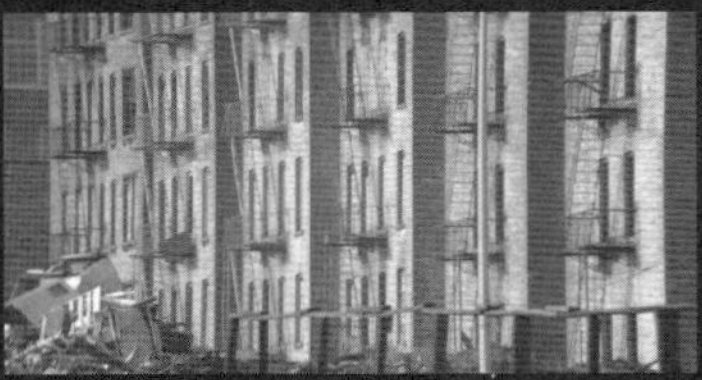
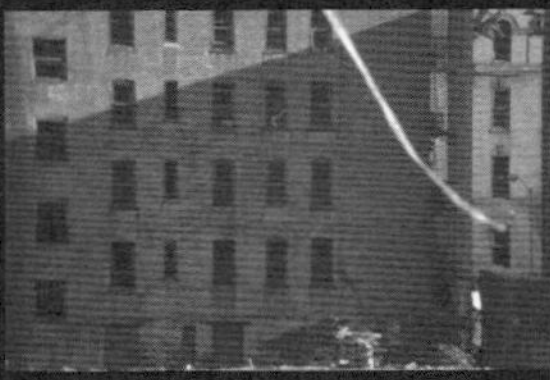
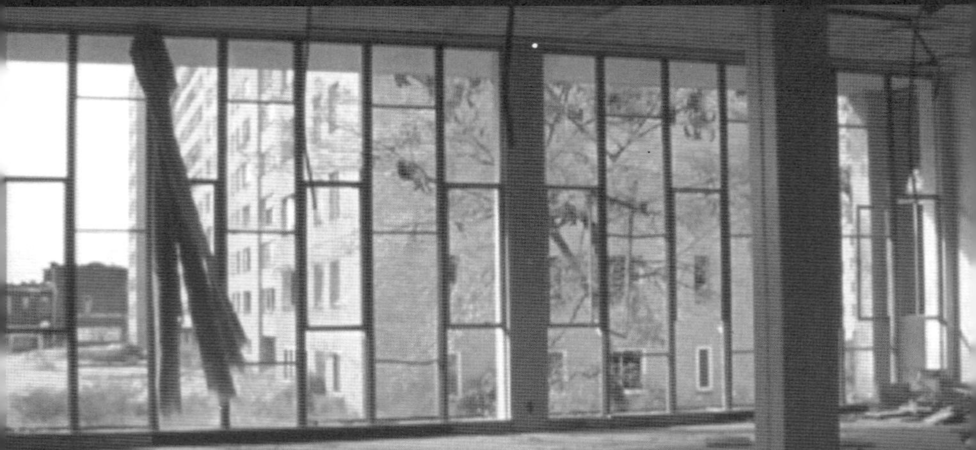
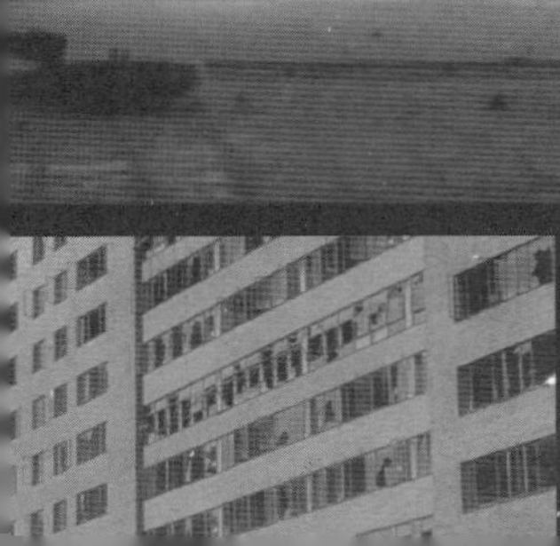
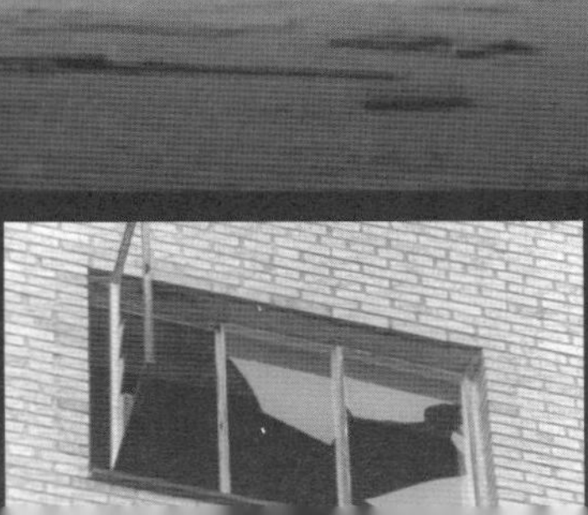
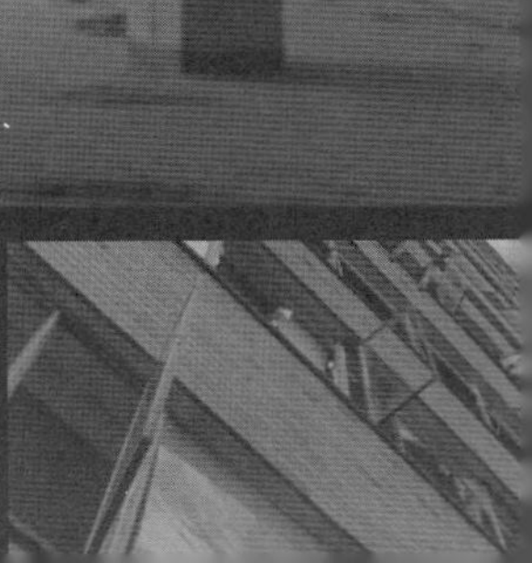

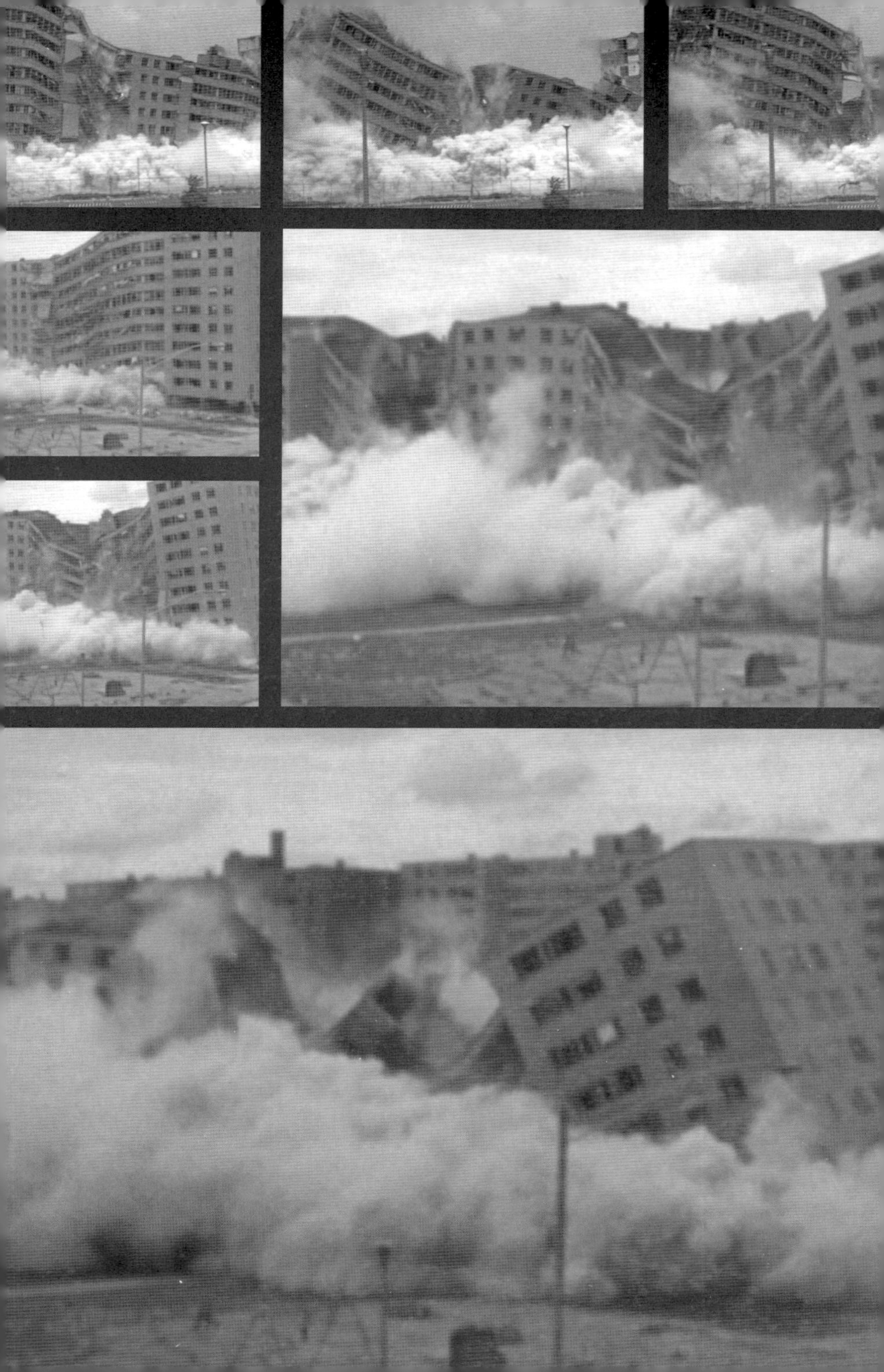

Ato II

Nova York, 4 de abril de 1973. Torre Sul do World Trade Center, em Lower Manhattan, num salão ainda muito despido, com algumas poltronas, mesas baixas e outras poucas peças de mobiliário em estilo internacional. As janelas estreitas do salão são delimitadas por colunas metálicas que cobrem toda a parede. Ao centro, uma porta de elevador, que serve para a entrada e a saída das personagens. GRIFFITH SMITH *está sentado, folheando uma revista. Veste traje formal, como todas as personagens deste ato.*

GRIFFITH SMITH
[*Olha para o relógio; levanta-se e dirige-se a um telefone.*]
Sim? Sim? Fala da recepção?... O senhor Yamasaki ainda está aí embaixo?... O.k., claro. Olhe, se estiver, e se for possível falar com ele... eu sei, eu sei. Não deve estar fácil. Mas, em todo o caso, combinamos de nos encontrar aqui em cima, ainda antes da inauguração, e ele estava preocupado que eu não conseguisse encontrar o caminho... mas encontrei... Não... Sim. Diga-lhe ape-

nas que já estou esperando por ele... Sim.
Só isso. Este é... espere... acho que é o topo
sul do andar 78... Como?... O *skylobby*?!...
Sim! É isso mesmo. O *skylobby*. Obrigado.
Desculpe o incômodo... Acha? Em todo o
caso, muito obrigado... espere! Parece que
está chegando um elevador. Talvez seja ele...
quer aguardar um pouco, só para saber se é
mesmo ele? Assim saberá se ainda é preciso
localizá-lo... Não faço idéia... Não sei quanto tempo demora... dez segundos... talvez
vinte... É preciso ter paciência... É isso, sim,
é isso mesmo – é tudo novidade. Você vai
ficar trabalhando por aqui?... Estupendo,
sim, sim... Naturalmente. De fato, é impressionante... avassalador.

Toca a campainha do elevador.

Ora, acabou de chegar... abrem-se as portas...
É ele! É o homem do momento!... Isso mesmo... desculpe por todo esse trabalho... uma
conversa muito agradável... parabéns pelo
novo emprego. Boa sorte.
[*Desliga o telefone, dirige-se para* MINORU
YAMASAKI, *que acabou de chegar, e abraçam-se
alegremente.*]

MINORU YAMASAKI
Mas afinal o que se passa aqui?

O ARQUITETO

GRIFFITH SMITH
Estava tendo uma interessante conversa com a recepcionista.

MINORU YAMASAKI
Percebi.

GRIFFITH SMITH
Enquanto tentávamos localizá-lo.

MINORU YAMASAKI
Desculpe a demora.

GRIFFITH SMITH
Pensei que tinha se perdido dentro do seu próprio edifício.

MINORU YAMASAKI
Não seria a primeira vez.

GRIFFITH SMITH
Minoru Yamasaki, de cuja mente nasceu o World Trade Center, perdido na concretização dos próprios pensamentos!...

MINORU YAMASAKI
Bem, deixe-me dizer. O caos lá embaixo é maior do que o caos na minha cabeça!

GRIFFITH SMITH
... Uma metáfora do homem moderno, do criador e artista.

MINORU YAMASAKI
Perseguido por batalhões de jornalistas.

GRIFFITH SMITH
Naturalmente! Você é o senhor World Trade Center! Senhor Yamasaki, o que acha da paz mundial? Senhor Yamasaki, deixou a sua marca na história?

MINORU YAMASAKI
Senhor Yamasaki, prefere as loiras ou as morenas?

GRIFFITH SMITH
"Meus caros amigos, eu prefiro Nova York."

MINORU YAMASAKI
Bajulador.

GRIFFITH SMITH
"Essas torres são a minha carta de amor à cidade. Eu gosto dela e ela gosta de mim."

MINORU YAMASAKI
Isso, meu prezado amigo, seria pedir demais. Nova York é uma senhora muito volúvel.

GRIFFITH SMITH
Talvez ela adore você, talvez adore detestá-lo, mas adora ser bajulada.

MINORU YAMASAKI
Tenho tentado, meu amigo. Talvez me faltem as suas qualidades.

GRIFFITH SMITH
Oh, Minoru, você é tão modesto. Francamente, há quanto tempo ninguém dá a esta cidade não um, mas os dois edifícios mais altos do mundo? Quem é o homem que pode olhar de cima para o Empire State Building?

MINORU YAMASAKI
Essa é que eles não me perdoam.

GRIFFITH SMITH
Ainda não, Yama. Ainda não. Mas vão perdoar.

MINORU YAMASAKI
Moreland, estou muito feliz por você ter podido vir.

GRIFFITH SMITH
E eu feliz por estar aqui.

MINORU YAMASAKI
E a Marjorie? Ficou em Atlanta?

GRIFFITH SMITH
Não, viemos juntos. Já deve estar lá embaixo.

MINORU YAMASAKI
A Terry e os pequenos também devem chegar a qualquer minuto.

GRIFFITH SMITH
Perfeito, perfeito.

MINORU YAMASAKI
Vamos aproveitar o tempo, então. Fiz questão de que você estivesse aqui hoje, Moreland.

GRIFFITH SMITH
Com todo o prazer.

MINORU YAMASAKI
Sempre fiz questão de que você viesse, mas desta vez é diferente. A nossa conversa de há um ano...

GRIFFITH SMITH
Nada mudou, Yama.

MINORU YAMASAKI
Espere. A nossa conversa do ano passado teve muito peso...

GRIFFITH SMITH
O que é isso, Yama? Peso nenhum, não foi nada.

MINORU YAMASAKI
Pelo contrário, acredite, para mim foi muito. Estou grato por você ter ouvido todos aqueles meus lamentos. E ao mesmo tempo estou embaraçado.

GRIFFITH SMITH
Yama, nunca ouvi maior disparate em toda a minha vida, nem mesmo sendo político amador habituado a ouvir enormes disparates.

MINORU YAMASAKI
É verdade. O meu... como se diz?... metabolismo emocional é lento. Demoro para me deprimir e, sobretudo, demoro muito mais para me exprimir. Não é uma coisa fácil para mim.

GRIFFITH SMITH
Não seja bobo.

MINORU YAMASAKI
Eu preciso confirmar isso. Não ficou cansado com toda a minha conversa, portanto?

GRIFFITH SMITH
Ouça, Yama, pela última vez, pare com isso. Por que diabo eu ficaria cansado? Você, por acaso, ficou cansado quando recebeu o Mies van der Rohe em sua casa e ele passou uma noite inteira contando a sua vida?

MINORU YAMASAKI
Ah, mas isso foi um privilégio.

GRIFFITH SMITH
Ah, é? E um privilégio para o qual eu não fui convidado. Não o perdôo, Yama.

MINORU YAMASAKI
Perdoa, sim. Você é um bom amigo.

GRIFFITH SMITH
Você também é um bom amigo, mas além disso eu o considero um dos maiores arquitetos do século. A sua vida é uma lição permanente. Por que não há de ser também um privilégio para mim ouvi-lo?

MINORU YAMASAKI
Você não pode me comparar com o Mies.

GRIFFITH SMITH
Por que não? É uma comparação que você já aceitou.

MINORU YAMASAKI
E como podia recusar? Fiquei em êxtase.

GRIFFITH SMITH
Os "criadores de formas do século xx"! E lá estava você, junto com o Mies, o Gropius, o Corbusier, o Lloyd Wright. O Breuer. O Neutra.

MINORU YAMASAKI
No Olimpo, com os deuses.

GRIFFITH SMITH
Sim, mas talvez então fosse prematuro. Hoje é diferente. Você teve oportunidade de deixar uma marca que nem o Mies deixou.
[*Acena para norte.*]
A Torre Seagram, que deve estar ali no meio daquela mancha de arranha-céus em Midtown...

MINORU YAMASAKI
... e que é um esplêndido edifício...

GRIFFITH SMITH
... a Torre Seagram, de Mies van der Rohe, por esplêndida que seja, não conseguimos distinguir bem daqui, nem que fôssemos para as janelas do outro lado. Muita gente nem sabe que ela existe. Ao passo que nin-

guém ignora que você hoje inaugura não somente os dois edifícios mais altos de todo o mundo...

MINORU YAMASAKI
... por pouco tempo...

GRIFFITH SMITH
... o que de qualquer forma pouco importa – mas, acima de tudo, você deixa uma assinatura na paisagem, uma marca no céu desta fantástica cidade – e isso é algo de que poucos dos nossos colegas se podem gabar.

MINORU YAMASAKI
Que seja! Não o contrario mais, aliás, hoje não contrario ninguém. É, sim, um edifício histórico – aqui entre nós –, independentemente de quantas anedotas façam sobre ele ou de quanto tempo vai levar para que o aceitem.

GRIFFITH SMITH
Isso.

MINORU YAMASAKI
E sim, admito também que o chamei em particular porque me sinto vingado em relação a tudo o que se escreveu sobre Pruitt-Igoe, e só a você poderia confessá-lo com toda a

clareza, precisamente porque me ouviu com tanta paciência no ano passado.

GRIFFITH SMITH
Com toda a amizade.

MINORU YAMASAKI
Não é extraordinário, Moreland?

GRIFFITH SMITH
É grandioso.

MINORU YAMASAKI
A história me persegue.

GRIFFITH SMITH
Como assim o persegue?

MINORU YAMASAKI
Persegue-me, literalmente. Corre atrás de mim.

GRIFFITH SMITH
E você foge dela.

MINORU YAMASAKI
Às vezes sinto que me apanha, às vezes acho que lhe escapei. Quando desenhei Pruitt-Igoe, há mais de vinte anos, quis dar o edifício mais moderno possível à população, por

mais desfavorecida que essa população fosse. No fundo, tentava pôr a arquitetura um passo à frente da história. Mas aí veio a decisão do Supremo Tribunal, o Vietnã, tudo o que você já conhece.

GRIFFITH SMITH
E aí a história o apanhou.

MINORU YAMASAKI
Caiu-me em cima, Moreland! Caiu-me em cima. Foi como ter desenhado a Bastilha sem fazer idéia de que vinha aí a Revolução Francesa.

GRIFFITH SMITH
Alguém há de ter desenhado a Bastilha.

MINORU YAMASAKI
Há até um tipo – não sei se sabe – que está escrevendo um livro sobre a morte do Modernismo...

GRIFFITH SMITH
Já ouvi: "O modernismo morreu no dia 16 de março de 1971, às 15 horas e 32 minutos...".

MINORU YAMASAKI
E sabe o que ele quer dizer com isso?

GRIFFITH SMITH
"... quando o tristemente célebre conjunto de Pruitt-Igoe recebeu o seu golpe de misericórdia através da dinamite."

MINORU YAMASAKI
Quer dizer que nem sequer sabe a data certa.

GRIFFITH SMITH
A data certa é 21 de abril de 1971.

MINORU YAMASAKI
Mais precisamente, durante a tarde em que me visitou. Então você já sabe dessa história?

GRIFFITH SMITH
"A implosão de Pruitt-Igoe marca o início de uma nova era, a era pós-moderna." Já ouvi dizer.

MINORU YAMASAKI
Ou seja, a ironia é que a era pós-moderna não começa com nenhum edifício que eles tenham desenhado. Começa com a implosão da minha obra! Assim é fácil!

GRIFFITH SMITH
É uma malvadeza, Yama.

MINORU YAMASAKI
Mas talvez não seja desprovida de sentido.

Tanto você como eu, como todos os nossos colegas "construtores de formas do século XX", quisemos trazer um pouco de futuro para o presente.

GRIFFITH SMITH
Os nossos prédios eram máquinas do tempo.

MINORU YAMASAKI
O que os críticos não sabem é a verdadeira lição de Pruitt-Igoe: ninguém fica na história por desenhar edifícios para pobres. Se o dono destas torres não fosse David Rockefeller, irmão de Nelson Rockefeller, governador de Nova York, o destino delas seria acabarem como Pruitt-Igoe. Ainda ninguém quis vir aqui, mas o governo do estado já vai alugar uns milhares de metros quadrados, a preço de escritório, para viabilizar o projeto.

GRIFFITH SMITH
Não dá para estar à frente da história. Os edifícios não nascem do futuro.

MINORU YAMASAKI
Essa é a lição: estamos sempre agora.

GRIFFITH SMITH
Os edifícios nascem do presente, com os políticos do presente, os eleitores do presente,

os empreiteiros do presente, os problemas do presente. Com magnatas como David Rockefeller, o homem para quem até ser presidente da república seria um rebaixamento. Acho apenas que esse tipo do pós-moderno deveria ter ido até mais longe na sua teoria. Eu sou mais esperto do que ele. Não há atitude mais pós-moderna do que simplesmente deixar de fazer arquitetura.

MINORU YAMASAKI
Não, Moreland. Você derrubou o rei antes que lhe dessem o xeque-mate. Mas você estava enganado.

GRIFFITH SMITH
Quem não age, meu caro, nunca se engana.

MINORU YAMASAKI
Veja bem: eu tenho razões para ser o último a rir. Pelo menos acho que tenho. Sou um daqueles raros humanos a quem a história tocou duas vezes, uma por algo que me aconteceu, e a outra por algo que eu fiz acontecer.

GRIFFITH SMITH
Mas para fazer acontecer é preciso coragem.

MINORU YAMASAKI
É preciso, pelo menos, não ter medo de falhar.

GRIFFITH SMITH
E você já não tem medo de falhar?

MINORU YAMASAKI
Eu já fui abençoado com um fiasco, Moreland. Dei-me conta disso mais tarde. Quase morri por causa das úlceras, e quase morri como arquiteto por causa de Pruitt-Igoe. Foi a melhor coisa que me aconteceu.

GRIFFITH SMITH
É verdade. Eu estava lá e vi.

MINORU YAMASAKI
Claro que só me dei conta disso depois da nossa conversa. Nós, adultos, temos tanto medo do fracasso, que quando finalmente ele vem é uma libertação.

GRIFFITH SMITH
O fracasso é bom.

MINORU YAMASAKI
E o sucesso é mau.

GRIFFITH SMITH
Agora que está infeliz com o sucesso, você não vai querer se suicidar do 78º andar do seu edifício?

MINORU YAMASAKI
O sucesso, Moreland, pesa. Quanto mais sucesso você tem, mais medo tem de falhar. Quando desenhei Pruitt-Igoe, tudo tinha que estar perfeito, porque aquela obra haveria de me lançar. Mas na verdade aquele não era eu: era o Corbusier, o Gropius. Tudo aquilo na minha cabeça.

GRIFFITH SMITH
A Bauhaus inteira.

MINORU YAMASAKI
As expectativas, e as ambições, e o pânico cada vez mais recalcado de que descubram que afinal você é uma fraude.

GRIFFITH SMITH
Todo mundo tem isso.

MINORU YAMASAKI
Com o sucesso, a gente se habitua a esconder isso, mas ele vai crescendo, crescendo como um tumor. Por fora, a gente transpira confiança.

GRIFFITH SMITH
Por dentro, sabemos que ele vai nos matar.

MINORU YAMASAKI
E um dia acontece mesmo.

GRIFFITH SMITH
Você é uma fraude.

MINORU YAMASAKI
Todo mundo fica sabendo. Você falhou miseravelmente. Você é o símbolo de tudo o que está ruim.

GRIFFITH SMITH
E então você morre.

MINORU YAMASAKI
Morreu. Está morto. Mas depois acabou-se o medo.

GRIFFITH SMITH
Está pronto para finalmente começar a sua segunda vida.

MINORU YAMASAKI
Está pronto, finalmente, para ser você mesmo.

GRIFFITH SMITH
Coisa que nunca tinha sido até então.

MINORU YAMASAKI
Não. Mas agora está nu, não tem nada, já acabaram com você. É livre.

GRIFFITH SMITH
Não traz nada nos bolsos.

MINORU YAMASAKI
O peso do sucesso foi substituído pela leveza do fracasso.

GRIFFITH SMITH
Pode enfim fazer o que você quiser.

MINORU YAMASAKI
Claro que isso traz tudo misturado. Ainda está no auge e já o jovem assistente de arquitetura na faculdade de não sei onde escreve uma carta maldosa.

GRIFFITH SMITH
"O desenho de Yamasaki parece hoje preso, forçado, artificial, não oriental mas *japanesque*."

MINORU YAMASAKI
Primeiro você acha que é um equívoco. Não era suposto todo o mundo gostar de você? E continua tentando.

GRIFFITH SMITH
"Não podemos deixar de lamentar que esse brilhante criador, que há algum tempo produziu no aeroporto de Saint Louis um dos melhores edifícios dos Estados Unidos, tenha se deixado deteriorar nessas afetações pseudo-orientais com que disfarça os caixotes de vidro que finge desprezar. Talvez ele nunca devesse ter feito aquela viagem ao Japão."

MINORU YAMASAKI
A viagem ao Japão que eu fiz depois do divórcio, dos outros divórcios, das úlceras, do esgotamento.

GRIFFITH SMITH
Mas não lhe faltavam encomendas.

MINORU YAMASAKI
Era uma vida dupla. Por que eu sofria tanto? Porque não conseguia me encontrar. Talvez algum gesto meu tivesse despertado um espírito malfazejo. Talvez eu tivesse posto algum edifício no lugar errado. Sabe quando alguém vende a casa onde vivia porque sente que enquanto continuar ali não vai parar de acumular dívidas, os filhos vão andar sempre doentes, nunca mais vai ser promovido?

GRIFFITH SMITH
Conheço um caso assim.

MINORU YAMASAKI
Pruitt-Igoe era a minha casa assombrada. E agora foi destruída.

GRIFFITH SMITH
Tudo isso acabou.

MINORU YAMASAKI
Tudo isso acabou. O elemento perturbador foi removido. O ciclo foi reposto. Senti isso quando voltei a casar com a Teruko. A energia voltou a correr na direção certa.

GRIFFITH SMITH
O herói regressa à sua Ítaca.

MINORU YAMASAKI
Pode passar a vida inteira tentando controlar a opinião dos seus contemporâneos, dos seus compatriotas, tentando agradar um máximo de pessoas. Mas, a não ser que lhe aconteça o que me aconteceu, nunca se dará conta de que o seu papel não é esse. Tem que esquecer tudo isso e se concentrar no seu trabalho. Na coerência da sua linguagem. Tem que entender que, em sua segunda vida, você já não está dialogando com os seus contemporâneos. Está sozinho, dialogando com o futuro.

GRIFFITH SMITH
Isso não é muito pós-moderno.

MINORU YAMASAKI
Nem sequer moderno. É a coisa mais antiga que há. Vem do tempo das pirâmides. Mas os antigos é que sabiam. A longo prazo, a arquitetura não é mais do que pedaços do passado que vão sobrevivendo pelo futuro afora.

GRIFFITH SMITH
O contrário do que nós achávamos.

MINORU YAMASAKI
Eu, por ser este tremendo joguete do destino, deixo duas marcas na história, que é algo de que os meus críticos não se podem gabar.

Toca o telefone, MINORU YAMASAKI *atende.*

MINORU YAMASAKI [*Continuação.*]
Sim!... Quem?... Claro que o senhor Robertson pode subir. Ele está na lista... A lista das pessoas que eu posso receber no *skylobby*... Ah, sim. Entendo. Não há qualquer problema: o senhor Robertson pode trazer quem ele quiser aqui para cima... Eu é que agradeço. [*Desliga o telefone.*]

GRIFFITH SMITH
É o Leslie Robertson?

MINORU YAMASAKI
E mais alguém.

GRIFFITH SMITH
Então já não temos muito tempo.

MINORU YAMASAKI
Não lhe dá uma sensação ruim ficar aí tão perto da janela?

GRIFFITH SMITH
Pelo contrário. Não tenho vertigens.

MINORU YAMASAKI
Que sorte. Do que estávamos falando?

GRIFFITH SMITH
Você dizia que as duas torres são as suas marcas na história.

MINORU YAMASAKI
Não, não era isso que eu queria dizer.

GRIFFITH SMITH
O que era então?

MINORU YAMASAKI
O que eu disse é que deixava duas marcas na história. Não quer dizer que sejam as

duas torres. A primeira marca é Pruitt-Igoe. Por mais que eu deseje não ter criado aquela maldita obra, a verdade é que a nossa geração o considerou histórico quando eu o desenhei, e a geração seguinte o considerou ainda mais histórico quando foi destruído. Essa foi a primeira marca, da minha primeira vida. E agora chegou a hora de deixar a minha segunda marca, que é este conjunto aqui em Nova York. E desta vez pressinto que levei a melhor sobre os meus críticos.

GRIFFITH SMITH
Talvez por isso eles sejam tão amargos.

MINORU YAMASAKI
Eles achavam que tinham visto ao vivo a minha morte. É como aquela história do sujeito que morreu no programa do Dick Cavett, durante a entrevista. Apesar de nunca ter ido ao ar, todo mundo acha que assistiu.

GRIFFITH SMITH
E ficam furiosos quando afirmamos que é impossível.

MINORU YAMASAKI
Sabe o que disse aquele idiota do Robert Twombly?

GRIFFITH SMITH
O Robert *C.* Twombly? O biógrafo do Frank Lloyd Wright?

MINORU YAMASAKI
O *C.* Twombly. Agora escreve para o *New York Times*.
[*Para o público.*]
"Se o World Trade Center viesse a sofrer o destino de Pruitt-Igoe em Saint Louis, e fosse condenado à morte pela dinamite, muitos de nós estaríamos aqui para aplaudir. Mas infelizmente a arquitetura moderna veio para ficar."

GRIFFITH SMITH
Que coisa mais desagradável.

MINORU YAMASAKI
Pois agora você vê. Os críticos já advogam que se destruam edifícios a bomba.

GRIFFITH SMITH
E estão lá para aplaudir. "Mas infelizmente a arquitetura moderna veio para ficar."

MINORU YAMASAKI
Veio mesmo para ficar, e sabe o que mais, senhor C. Twombly? Vai ter que se habituar. Os críticos podem me acusar de gigantismo e os nova-iorquinos podem contar piadas, mas

vão se habituar ao World Trade Center como os parisienses se habituaram à Torre Eiffel ou os florentinos se habituaram à catedral de Brunelleschi. Se tirássemos a Torre Eiffel de Paris, todos iam sentir falta, não é?

GRIFFITH SMITH
Ficaria um buraco na cidade.

MINORU YAMASAKI
E o mesmo se passa aqui.

GRIFFITH SMITH
Daqui a uns anos, já ninguém consegue viver sem estas torres. Você tem razão.

MINORU YAMASAKI
Aliás, Moreland, antes que chegue o Leslie, falta lhe dizer o seguinte.

GRIFFITH SMITH
Manda.

MINORU YAMASAKI
Você se lembra daquela sua conversa de um ano atrás sobre os duplos, e como éramos duplos do outro lado do espelho?

GRIFFITH SMITH
Lembro bem.

MINORU YAMASAKI
E eu tenho pensado muito nisso. E às vezes chego à conclusão de que o duplo é uma constante na minha vida. Dois países. Duas cidades. Dois casamentos com a mesma mulher. Dois outros casamentos além desses.

GRIFFITH SMITH
E agora duas torres.

MINORU YAMASAKI
Mais: duas vezes duas torres! Não se esqueça daquelas torres triangulares com que sonhei.

Toca o elevador.

GRIFFITH SMITH
Vai fazê-las?

Entram LESLIE ROBERTSON *e* FAZLUR RAHMAN KHAN.

MINORU YAMASAKI
Em Los Angeles! Já estão sendo feitas. Devem ficar prontas este ano ou no próximo.
[*Para* LESLIE ROBERTSON.]
Bem-vindo seja o grande mago da engenharia de estruturas! Como vai o meu amigo?

GRIFFITH SMITH
Leslie, posso pular aqui dentro? Isto agüenta?

LESLIE ROBERTSON
Agüenta tudo, Moreland. Terremotos, furacões, aviões, o que quiser. Testamos todas as hipóteses. Mas devo pedir a vocês que não me envergonhem perante o verdadeiro grande mago da engenharia de estruturas:
[*Faz as apresentações.*]
Minoru Yamasaki – Fazlur Khan.

MINORU YAMASAKI
Fazlur Rahman Khan! Mas é uma grande honra!

FAZLUR RAHMAN KHAN
A honra é toda minha.

MINORU YAMASAKI
Deixem-me apresentá-los a Moreland Griffith Smith, um velho amigo e também arquiteto.

GRIFFITH SMITH
Na reserva.

LESLIE ROBERTSON
Não se deixe enganar, Fazlur.

FAZLUR RAHMAN KHAN
Os arquitetos são sempre uma dor de cabeça, mesmo na reserva.

GRIFFITH SMITH
Já os engenheiros não costumam ter esse senso de humor. Aqui o Leslie, por exemplo...

LESLIE ROBERTSON
Não? Então escute esta: um engenheiro, um arquiteto e um urbanista entram num bar...

MINORU YAMASAKI
Um urbanista não!

GRIFFITH SMITH
Por favor! Vamos manter o nível.

LESLIE ROBERTSON
É verdade, é verdade. Sabe a do acidente de automóvel? Morreu um arquiteto, um engenheiro e um urbanista...

MINORU YAMASAKI
O urbanista também morreu? Então pode ser.

GRIFFITH SMITH
Deus os recebe e põe o arquiteto na sua mão direita, o engenheiro na mão esquerda.

LESLIE ROBERTSON
Não. O engenheiro é que é na direita do Senhor, o arquiteto na esquerda.

GRIFFITH SMITH
E, quando vai falar com o urbanista, o urbanista interrompe Deus e diz:

LESLIE ROBERTSON
"Você está sentado no meu lugar."

GRIFFITH SMITH
É velha.

LESLIE ROBERTSON
São as melhores. Sabe o que são as Torres Gêmeas do World Trade Center?

GRIFFITH SMITH
Conta.

LESLIE ROBERTSON
São os caixotes onde trouxeram o Empire State e o Chrysler Building.
[*Risos.*]

MINORU YAMASAKI
Dois arquitetos. Dois engenheiros.

FAZLUR RAHMAN KHAN
Duas torres.

LESLIE ROBERTSON
E nenhuma delas seria possível sem o Fazlur Khan, mesmo sem ter trabalhado nelas. Os

meus amigos têm diante de si um homem modesto, mas que vai ter de me ouvir dizer o seguinte, por uma questão de justiça: Fazlur Khan é um gênio, digno do Nobel de Engenharia. Se houvesse Nobel de Engenharia.

MINORU YAMASAKI
Sem dúvida.
[*Para* GRIFFITH SMITH.]
Moreland, o senhor Khan é o inventor do conceito tubular, ou do feixe de tubos, que nos permite fazer um edifício destes sem ter de criar uma estrutura central mais pesada e menos flexível. Graças à aplicação que o Leslie fez desse conceito aqui no World Trade Center, ganhamos uma enorme liberdade no tratamento do espaço interior. A sustentação foi distribuída por todas essas colunas aqui em volta, está vendo?

GRIFFITH SMITH
Um edifício sustentado por fora e não por dentro. Como é, Yama? Afinal, uma parede já tem que segurar o teto?

MINORU YAMASAKI
Você não deixa escapar nada.

GRIFFITH SMITH
"Uma parede não tem que segurar o teto."

MINORU YAMASAKI
Mies van der Rohe.

LESLIE ROBERTSON
Agora estão falando em código.

GRIFFITH SMITH
Conta o Mies van der Rohe que teve essa revelação quando estava em Barcelona para desenhar um pavilhão da Feira Internacional. Deu por si caminhando pela cidade e pensando nas possibilidades daquela idéia. "Uma parede não tem que segurar o teto! Uma parede não tem que segurar o teto!"

MINORU YAMASAKI
Pois a idéia aqui do Fazlur Khan é igualmente revolucionária. Permite fazer arquitetura como nunca se viu antes.

FAZLUR RAHMAN KHAN
É muito lisonjeiro. Eu sou um homem modesto.

LESLIE ROBERTSON
Sim. Somos todos.

GRIFFITH SMITH
Claro que vocês são modestos. É por isso que fazem arranha-céus.

LESLIE ROBERTSON
Precisamente: o Fazlur é tão modesto que será o detentor do próximo título do edifício mais alto do mundo, quando a Torre Sears for terminada, no ano que vem.

GRIFFITH SMITH
Então este é o futuro segundo edifício mais alto do mundo?

MINORU YAMASAKI
Na verdade, este já é o segundo edifício mais alto do mundo – mas vai ser o terceiro. O edifício mais alto do mundo é a outra torre ali ao lado. A autoridade portuária exigiu que dois andares da Torre Norte tivessem um pé-direito maior. E assim vai. É o verdadeiro detentor do título, até ser destronado por essa nova torre do Fazlur Khan em Chicago.

FAZLUR RAHMAN KHAN
Fico contente por ver que não me levam a mal.

MINORU YAMASAKI
De todo. Mas confesso que corremos para acabar antes.

LESLIE ROBERTSON
Para ter o título durante alguns meses.

FAZLUR RAHMAN KHAN
Também não espero que a Torre Sears permaneça para sempre como o edifício mais alto do mundo.

MINORU YAMASAKI
Claro que não, mas você é o culpado, porque a sua inovação ainda tem muito futuro. Vamos chegar ainda mais alto, e em breve. Você verá. Somos velhos concorrentes. Acompanho a sua carreira desde os tempos da Skidmore, Owings & Merrill.

FAZLUR RAHMAN KHAN
E, além disso, também vamos ser concorrentes na Arábia Saudita.

MINORU YAMASAKI
É verdade? Ah, meu amigo, já há muito que sou um beduíno da arquitetura nas areias da casa de Saud. No fim dos anos 1950, fiz o aeroporto de Dahran. Eles gostaram tanto, que estamparam o edifício no dinheiro deles, nas notas propriamente ditas. Depois disso, a casa real me convidou para tudo o que era projeto, mas eu recusei quase tudo. Só aceitei três obras, criteriosamente escolhidas. O Banco Central em Riade, por exemplo: recusei o projeto há três anos. Disse-lhes: "Até terminar o World Trade Center não aceito

mais nada". E não é que eles esperaram por mim? Abençoados sauditas!

LESLIE ROBERTSON
Deixaram o Banco Central à sua espera?

GRIFFITH SMITH
Para depois poderem fazer notas com os edifícios dele. Se ele não fizer edifícios, não há nada para pôr nas notas. E, logo, não há necessidade de Banco Central.

MINORU YAMASAKI
Vai ironizando, meu caro, vai. Mas sabe por que gostaram das minhas obras lá? Por serem edifícios tão árabes. Nas minhas primeiras viagens fiquei chocado quando vi que eles andavam gastando o dinheiro do petróleo para fazer imitações ruins de prédios ocidentais. Aí decidi que o aeroporto de Dahran iria ser inspirado nas tendas dos nômades: leves, fluidas, frescas. Comecei a estudar arquitetura islâmica...

FAZLUR RAHMAN KHAN
Não sabia que era tão interessado pelo Oriente Médio!

MINORU YAMASAKI
Sou sim. Verdadeiramente fascinado, até.

Olhe: uma vez o *New York Times* me perguntou qual era o meu edifício favorito. Sabe o que respondi?

FAZLUR RAHMAN KHAN
Estou curioso.

MINORU YAMASAKI
"A Mesquita do Xá da Pérsia, em Isfahan, no Irã."

FAZLUR RAHMAN KHAN
Uma jóia, uma autêntica jóia.

MINORU YAMASAKI
"Uma experiência cheia de contraste e surpresa, no interior e no exterior. A delicadeza e as belas proporções são comoventes. É minha firme crença que os edifícios não deveriam ser esmagadores na sua grandeza; e aqui não há qualquer sensação de avassalamento ou impotência. Sentimo-nos em sintonia com a mesquita e transportados por ela."

FAZLUR RAHMAN KHAN
Mas que entusiasmo!

MINORU YAMASAKI
Fascinam-me as migrações dos elementos na arte. O arco em ogiva gótico é mourisco; os

cruzados é que o trouxeram. Não é mais que duas colunas que se aproximam e se juntam no alto, como se chegássemos as palmas das mãos e juntássemos os dedos, esticando-os. Podemos traduzi-las como um símbolo de união e de paz, um encontro entre duas visões, a mão esquerda e a mão direita, as duas metades do cérebro, analítica e emocional, Ocidente e Oriente. Uso-as em todo lugar. E digo mais: o próprio conceito da mesquita, de qualquer mesquita, é uma influência grande em pelo menos um dos meus edifícios. Conseguem adivinhar qual?

LESLIE ROBERTSON
Agora você me deixou curioso.

GRIFFITH SMITH
Tem um edifício inspirado numa mesquita?

MINORU YAMASAKI
E eu o desafio a descobrir qual é.

LESLIE ROBERTSON
Se o Moreland não souber, duvido que eu consiga descobrir. Sou só um engenheiro.

MINORU YAMASAKI
Pois vou lhe contar um segredo. Você trabalhou nesse edifício durante quase dez anos.

Quais são, meus senhores, os elementos fundamentais de uma mesquita?
[*Aproxima-se do público, virado para norte, e faz gestos para indicar os elementos a que se refere.*]
O perímetro, normalmente retangular, em torno de um pátio interior. E num dos cantos a torre, ou minarete, para o *muezzin* chamar os fiéis à oração. Ora, se olharmos para norte, o que temos aqui? Temos a nossa *plaza*, delimitada por um quadrado de edifícios – os edifícios números três, quatro, cinco e seis do World Trade Center – e o sete não conta porque já fica do outro lado da rua. E temos o nosso minarete, que na verdade são dois, ou melhor, duas torres, que, acumulando gente, ajudaram a liberar espaço para o nosso pátio interior, onde podemos ter sombra, fontes de água e uma escultura central. Isso não os faz lembrar de nada?

LESLIE ROBERTSON
O World Trade Center é uma mesquita?

MINORU YAMASAKI
Adivinhou.

GRIFFITH SMITH
Brilhante, senhor conferencista antropólogo das religiões, historiador da arte, criador de formas.

MINORU YAMASAKI
Já chega, Moreland.

FAZLUR RAHMAN KHAN
Nasci no meio de mesquitas e não vi a solução na minha cara.

LESLIE ROBERTSON
Você nunca tinha me dito nada, Yama!

MINORU YAMASAKI
Estou dizendo agora.

FAZLUR RAHMAN KHAN
Meus senhores, estamos na maior mesquita do mundo.

MINORU YAMASAKI
Foi o que eu disse, mas ainda ninguém quis ouvir. Esta será a Meca do capitalismo. Gente de todo o mundo virá aqui para fazer negócio, para conversar. E esta praça será a praça da paz, do entendimento, da boa vontade.

LESLIE ROBERTSON
Você é meca-lomaníaco.

FAZLUR RAHMAN KHAN
E a escultura no centro é a *kaaba*.
A pedra sagrada dos muçulmanos. Acertei?

MINORU YAMASAKI
É verdade. Nós somos imigrantes, não é, Fazlur? Temos que ser esponjas.

FAZLUR RAHMAN KHAN
Acho que eles não entendem isso.

MINORU YAMASAKI
Você trabalhou com o Bin Laden?

FAZLUR RAHMAN KHAN
Desculpe?

MINORU YAMASAKI
Lá na Arábia Saudita. Qual é o edifício que vai fazer?

FAZLUR RAHMAN KHAN
O terminal da *hajj*, para os peregrinos, em Jedá. Já está feito.

MINORU YAMASAKI
Então trabalhou com o Bin Laden. O empreiteiro do rei Faisal.

FAZLUR RAHMAN KHAN
O fundador da Saudi Bin Laden Group? Já morreu. Não cheguei a conhecer.

GRIFFITH SMITH
Um homem das arábias?

MINORU YAMASAKI
Um homem do Iêmen. Imigrante, também. Chegou à Arábia Saudita sem nada de seu, nem uma cabra, antes de haver petróleo. Antes mesmo de haver Arábia Saudita. Depois foi fazendo umas obras lá em Jedá, depois em Riad, até que um dia – quando já era moderadamente rico – emprestou dinheiro ao rei. Em troca, tornou-se o empreiteiro da casa de Saud. Ganhou o monopólio da construção nas cidades santas de Meca e Medina.

FAZLUR RAHMAN KHAN
E na mesquita de Jerusalém. Tirando os príncipes, era o homem mais rico da Arábia Saudita.

MINORU YAMASAKI
Apesar de ter permanecido analfabeto até o fim. Morreu num desastre de avião.

GRIFFITH SMITH
E o grupo? As empresas?

MINORU YAMASAKI
Ficou nas mãos dos filhos. São mais de cinqüenta, educados com todo o luxo, estudam nas melhores universidades, passam férias na Europa. O atual presidente, Salem bin La-

den, costuma vir muito aos Estados Unidos.
Tem negócios de petróleo no Texas.

LESLIE ROBERTSON
Só uma coisa. Você disse cinqüenta filhos?

MINORU YAMASAKI
Vivem todos juntos num palácio, com as mães.

LESLIE ROBERTSON
Quantas mães?

MINORU YAMASAKI
Dezessete.

GRIFFITH SMITH
Dezessete mulheres?

FAZLUR RAHMAN KHAN
Na verdade, ele só poderia ter quatro de cada vez, de acordo com a lei corânica.

MINORU YAMASAKI
Os sauditas, quando descobriam que eu tinha casado quatro vezes – duas com a mesma mulher –, ficavam incrédulos por eu ter tido que me divorciar toda vez que casava de novo. O que o pai Bin Laden fez foi ter três mulheres fixas e depois ir casando e divor-

ciando com a quarta, sucessivamente, como bom muçulmano.

GRIFFITH SMITH
Se fosse mórmon não teria esse trabalho todo.

LESLIE ROBERTSON
Você também tem quatro mulheres, Fazlur?

FAZLUR RAHMAN KHAN
Não. Uma basta, obrigado. Mas tive quatro países, o que é mais incomum. Nasci súdito do Império Britânico. Depois ganhamos a independência e éramos todos indianos. Mas nos separamos logo em seguida e fizemos o Paquistão, onde éramos todos muçulmanos. Depois lutamos – eu lutei – para fazer Bangladesh, porque os paquistaneses falam urdu e ali falávamos todos bengali. Agora temos Bangladesh, um dos países mais jovens do mundo. E no fim dessa história toda ficamos separados do resto dos bengalis que estão do lado de lá, na Índia.

LESLIE ROBERTSON
E, pior ainda, desde que você veio para cá, todo mundo lhe pergunta se foi você que desenhou o parlamento de Bangladesh.

FAZLUR RAHMAN KHAN
E eu tenho que dizer que eu sou o Fazlur Rahman Khan, e não o autor do parlamento, que é o Louis Kahn.

MINORU YAMASAKI
E que na verdade é soviético.

GRIFFITH SMITH
Russo.

FAZLUR RAHMAN KHAN
Estônio.

LESLIE ROBERTSON
E tem três mulheres ao mesmo tempo. Embora não seja muçulmano.

MINORU YAMASAKI
Isso é sério, Leslie?

LESLIE ROBERTSON
Já falei demais. Continuem, continuem.

GRIFFITH SMITH
Como é que ele agüenta? Eu, se arranjasse uma única amante sequer, teria imediatamente um ataque cardíaco.

Toca o elevador, interrompendo brevemente a conversa.

LESLIE ROBERTSON
Talvez tenha inventado a sua própria religião.

MINORU YAMASAKI
Eu é que tenho uma religião própria. Uma vez me convidaram para desenhar um centro judaico. E eu passei tanto tempo na sinagoga, para aprender como se faziam as coisas, que os judeus ficavam boquiabertos com aquele japonês pequenino andando por ali. Então inventaram uma nova seita só para mim: o judoísmo.

Entra DAVID ROCKEFELLER

DAVID ROCKEFELLER
"Judoísmo"? O que é o judoísmo?

MINORU YAMASAKI
Uma mistura de religião e arte marcial, inventada por judeus para japoneses, senhor Rockefeller.

DAVID ROCKEFELLER
Inventam tudo!

GRIFFITH SMITH
Os judeus ou os japoneses?

DAVID ROCKEFELLER
Os judeus e os japoneses! Mas não inventam as mesmas coisas.

MINORU YAMASAKI
Senhor Rockefeller. É uma honra inesperada tê-lo aqui conosco. Já conhece o engenheiro Leslie Robertson, que trabalhou no projeto estrutural. Fazlur Rahman Khan, que não é judeu nem japonês, mas inventou o sistema estrutural que utilizamos aqui. Um engenheiro brilhante – basta dizer que sem o seu gênio estas torres não existiriam. É sócio principal na Skidmore, Owings & Merrill.

DAVID ROCKEFELLER
Então é da concorrência! Sabe qual é a principal diferença entre os engenheiros e os arquitetos, senhor Khan?

FAZLUR RAHMAN KHAN
Diga-me.

DAVID ROCKEFELLER
Os engenheiros desenham as bombas. E os arquitetos desenham os alvos.

MINORU YAMASAKI
Mas estes são dos engenheiros bonzinhos, senhor Rockefeller. E aqui temos Moreland

Griffith Smith, de Atlanta, Geórgia, é um velho amigo e agora político em *part-time*.

DAVID ROCKEFELLER
Republicano ou democrata, senhor Griffith Smith?

GRIFFITH SMITH
Democrata.

DAVID ROCKEFELLER
Ui, e vem do sul. Bela confusão que vocês arranjaram lá para o seu partido.

GRIFFITH SMITH
Temo ter sido parte nessa confusão, senhor Rockefeller.

DAVID ROCKEFELLER
É um dom que vocês têm. Senhor Yamasaki, é uma sábia decisão, esta de ter amigos democratas. Os democratas dão bons amigos. São ingênuos como cachorrinhos.

GRIFFITH SMITH
Mas e os *dixiecrats*?

DAVID ROCKEFELLER
Os seus primos racistas lá do sul? Dão bons jantares. E dão muito jeito. Se o Wallace do

Alabama não tivesse se candidatado como independente, o Nixon não teria ganhado daquela maneira.

LESLIE ROBERTSON
Protesto! O Nixon ganhou porque os democratas escolheram o homem errado.

DAVID ROCKEFELLER
O quê, o coitado do George McGovern? Não seja injusto. Quem queria que escolhessem? Aquele polaco chorão do Ed Muskie? O máximo que podiam era apostar no Ted Kennedy, mas não podiam fazer nada com ele.

LESLIE ROBERTSON
Porque os republicanos o difamaram com a história de Chappaquiddick.

DAVID ROCKEFELLER
E o que você queria que fizessem? O homem enfia o carro da mamãe dentro de um canal, com uma moça dentro, a moça morre. Nem é preciso fazer nada, a história escreve-se sozinha. De todo modo, isso só prova que os democratas são todos uns moles. Autodestrutivos, tóxicos, todos eles.

GRIFFITH SMITH
Mas há o caso Watergate.

DAVID ROCKEFELLER
Há o quê? Nunca ouvi falar. Será um prédio do Yamasaki?

GRIFFITH SMITH
Não lhe parece que a coisa está para chegar à Casa Branca?

DAVID ROCKEFELLER
Meu caro amigo, esse tal de Watergate está para chegar à Casa Branca desde sempre. Mas não chega. Nunca chega. Está todo mundo cansado dessa história.

GRIFFITH SMITH
Mas há dados novos.

LESLIE ROBERTSON
Condenações.

GRIFFITH SMITH
É o que eu estou dizendo. Dados novos há sempre. Há quanto tempo o *Washington Post* não se cala com essa história? Insistiram com a coisa o ano todo, até as eleições – escândalo!, extra!, extra! – e o que aconteceu?

LESLIE ROBERTSON
O Nixon ganhou.

DAVID ROCKEFELLER
O Nixon arrasou. O Nixon esmagou o McGovern, humilhou os democratas, deixou-os chorando num canto. O que prova que é preciso não ligar para o que diz o *Washington Post*.

MINORU YAMASAKI
E eu brindo a isso.

DAVID ROCKEFELLER
São uns invejosos. De qualquer forma, não é os democratas que é preciso vigiar, mas os outros republicanos. Se o Nixon caísse – não cai, mas se caísse – o Ford o substituía, e o meu irmão Nelson era capaz de chegar a vice. Se conseguisse se libertar da concorrência do George Bush.

GRIFFITH SMITH
O Bush é o homem do Nixon.

DAVID ROCKEFELLER
Enfim, o Bush é o homem dele próprio, mas foi o Nixon que o meteu no Comitê Nacional Republicano. E nas Nações Unidas. Mas o Ford também tem lá uns sujeitos novos para tratar dele: Cheney, Don Rumsfeld, Weinberger, esses todos. Tipos duros.

LESLIE ROBERTSON
Não são como os seus amigos, Moreland.

GRIFFITH SMITH
Ah, isso não são.

DAVID ROCKEFELLER
Ouça, sou eu que lhe digo: não vai conseguir pôr um democrata na Casa Branca nos próximos vinte anos.

GRIFFITH SMITH
Talvez não.

DAVID ROCKEFELLER
Como talvez? Mas se sou eu que lhe digo! Eu prevejo o futuro. Diga-lhe, Yamasaki.

MINORU YAMASAKI
O senhor Rockefeller tem dons visionários.

DAVID ROCKEFELLER
O que é que eu lhe dizia, hã? Você sabe. Você nem queria acreditar quando eu lhe disse o que íamos fazer aqui.

MINORU YAMASAKI
Era uma loucura.

DAVID ROCKEFELLER
Pois bem, escutem. Temos pouco tempo.

O meu irmão governador chega dentro de poucos minutos e temos que estar todos lá embaixo antes que ele mande a tropa de choque. E todos sabemos do que ele é capaz, certo? Bem. Eu fiz questão de vir aqui em cima falar com o nosso arquiteto, o senhor Minoru Yamasaki, e agradecer-lhe pessoalmente todo o seu empenho, bem como ao nosso engenheiro-chefe, o senhor Richardson.

LESLIE ROBERTSON
Robertson.

DAVID ROCKEFELLER
O quê?

LESLIE ROBERTSON
Robertson, senhor Rockefeller.

DAVID ROCKEFELLER
Certo. Quando começamos com este projeto, há mais de dez anos, enviamos convites selecionados para vários dos melhores ateliês internacionais com um esboço de caderno de encargos, explicando a envergadura do projeto. Um deles foi para a Minoru Yamasaki Associados, em Detroit. Passados alguns dias, recebemos uma mensagem do senhor Yamasaki perguntando se não haveria um zero a mais na estimativa de preços. Podem

imaginar o que eu disse quando ouvi tal coisa: é o nosso homem! Agarrem-no! Meti imediatamente na cabeça que era o arquiteto que nos convinha, mesmo quando ele recusou o projeto alegando que o seu ateliê jamais conseguiria fazer uma coisa destas. Aí eu disse: senhor Yamasaki, eu consigo prever o futuro. E o futuro é que vamos fazer o World Trade Center e o senhor vai desenhá-lo. Os nova-iorquinos podem protestar e espernear, podem contar anedotas, mas as suas torres lá ficarão enquanto houver cidade.

GRIFFITH SMITH
Todos virão visitá-las.

LESLIE ROBERTSON
Desde que não sejam assaltados pelo caminho.

DAVID ROCKEFELLER
Pois bem. Brindemos ao futuro. Dez anos depois, aqui estamos todos, aqui está o World Trade Center de Nova York – sem inquilinos, mas o meu irmão vai nos ajudar a resolver isso – e aqui temos as duas torres mais altas do mundo, pelo menos até aqueles invejosos de Chicago acabarem com o que quer que seja que eles andam fazendo por lá.

FAZLUR RAHMAN KHAN
Estou bem aqui?

DAVID ROCKEFELLER
Muito bem. O único problema é ter que reconhecer que talvez aquele jornalista tivesse razão, hã, Yamasaki? Em vez de fazer duas torres de 110 andares, devíamos ter feito só uma de 220. Lembra-se da resposta?

LESLIE ROBERTSON
"Senhor Yamasaki, em vez de fazer duas torres de 110 andares, porque não faz uma de 220?"

MINORU YAMASAKI
"Quero preservar a escala humana."
[*Risos.*]

DAVID ROCKEFELLER
O homem fez uma cara! Parecia o Dick Cavett, quando morreu aquele sujeito no programa dele.
[*Mais risos.*]

MINORU YAMASAKI
Mas é verdade! Eu não estava brincando. As torres são humanas, dependendo da escala. Aliás, meus amigos. Meus amigos. A sua atenção. Quero utilizar os últimos segundos, antes de descermos para a inauguração ofi-

cial, para agradecer ao senhor David Rockefeller as suas amáveis palavras, e acrescentar umas poucas de minha autoria. Terminar um edifício é um pouco como ver um filho sair de casa, e nós temos sempre vontade de dizer qualquer coisa para adiar o momento. Mais ainda num caso como o do World Trade Center, cujo nascimento tem sido tão polêmico, tão controverso, tão criticado, mas que eu sei – sabemos todos – que de todas as minhas obras será aquela que ficará para o futuro. Há pouco, falávamos aqui de templos e monumentos. Há já muitos anos que a minha grande preocupação, como arquiteto, tem sido com o problema da monumentalidade.
[*Para* GRIFFITH SMITH.]
Chame o elevador, Moreland?
[*Para todos.*]
E, pois bem: qual é o problema da monumentalidade? Se analisarmos a história da arquitetura, facilmente concluiremos que qualquer monumento do passado traz consigo a marca do poder. As pirâmides são a pegada dos faraós, a coluna de Trajano corresponde aos imperadores romanos, o Arco do Triunfo é de Napoleão etc. O arquiteto desenha, mas, sem saber, a alma que põe lá dentro é a dos governantes, dos poderosos ou dos magnatas do seu tempo. A questão que se coloca, que

eu me coloco, é como fazer um monumento que tenha a marca dos nossos tempos.
[*Aproximam-se do elevador.*]
O World Trade Center, espero eu, é uma resposta a esta pergunta: qual é o monumento ideal para uma sociedade como a nossa? Por felicidade, está no lugar perfeito: na paisagem da cidade capital do século XX, entre o Velho e o Novo Mundo. Sei que nas próximas gerações, nos próximos séculos, todo mundo que chegar a esta cidade vai ver estas duas torres. Mas a minha esperança é que se aproximem delas – à escala humana – e cruzem a praça, o nosso pátio interior. Foi isso que o jornalista não percebeu. Tinha que ser duas torres. Uma apenas seria maciço, esmagador. Uma torre indica o quê? Uma fortaleza. E duas torres? Duas torres têm um espaço entre elas, e juntas são uma entrada, uma passagem para o futuro. São um convite às pessoas, para que se aproximem, venham até a nossa praça, contornem a nossa escultura interior, como numa perseguição, digo, numa peregrinação. Pode ser que um dia já não faça sentido erguer arranha-céus de 110 andares. Mas praças, meus amigos, é outra história. Vamos sempre precisar de praças.

GRIFFITH SMITH
E agora, é para que andar?

LESLIE ROBERTSON
Vamos ver... este é um elevador expresso. Daqui temos que descer para o próximo *skylobby*, e depois lá pegar outro elevador que pára em todos os andares.

MINORU YAMASAKI
Assim poupamos o espaço de escritório correspondente aos vários poços dos elevadores.

FAZLUR RAHMAN KHAN
Muito engenhoso.

DAVID ROCKEFELLER
Eu não lhe disse? Eu prevejo o futuro. Eu sabia que isto ia dar certo.

MINORU YAMASAKI
É uma inovação minha. Utilizei-a logo na minha primeira obra. No aeroporto de Saint...
[*Troca um olhar com* GRIFFITH SMITH.]

O elevador chega.

MINORU YAMASAKI [*Continuação.*]
Enfim, invenções. Logo no início da minha carreira trabalhei como desenhista para uma fábrica. Fiz o refeitório, as áreas de descanso. E depois havia uma capela, só uma para todo mundo. Uma capela só, para várias re-

ligiões. Aí inventei o altar giratório, ou rotativo, como quiserem. A invenção de que mais me orgulho. Uma parte era para judeus, outra para católicos, outra para protestantes, muçulmanos, xintoístas etc. Podíamos acrescentar os elementos que quiséssemos, à medida que chegavam trabalhadores de novas religiões. Depois bastava apertar um botão e escolher. Ele rodava sozinho. Trazia o altar da religião que quiséssemos. Era uma maravilha. Como vêem, é fácil deixar todo mundo contente.

Entram no elevador, entre vozes e risos, enquanto as luzes se apagam. As portas se fecham. Vê-se apenas, através da fresta, uma linha de luz proveniente do interior. O elevador desce.

Sobre O Arquiteto

Minoru Yamasaki viveu tempo suficiente para confirmar que as suas Torres Gêmeas estavam se tornando um ícone global e símbolo de sua carreira. Em 1979, a imagem das torres foi aproveitada até pelo mais neurótico dos nova-iorquinos, quando Woody Allen estreou *Manhattan*; no cartaz do filme o título era uma silhueta do *skyline* da cidade, com as Torres Gêmeas no centro, representando a letra H. Foi nesse mesmo ano que Minoru Yamasaki publicou a sua autobiografia, *A life in architecture*. Não por acaso, uma fotografia das Torres Gêmeas foi escolhida para a capa. Yamasaki imaginava que na posteridade seria reconhecido pelo World Trade Center e favoreceu essa associação.

O conjunto de Pruitt-Igoe, ao contrário, não tem uma única referência na autobiografia e foi expurgado do currículo de seu autor. Nas poucas referências públicas que fez ao assunto, Yamasaki limitou-se a dizer que "desejaria não ter desenhado esse projeto", apesar de com ele ter ganho os seus primeiros prêmios e por meio dele ter lançado já tardiamente a sua carreira. Talvez Minoru Yamasaki tenha acreditado que ao manter o silêncio sobre Pruitt-Igoe o resto do mundo tomasse a decisão de ser igualmente lacônico. Mas, tal como a própria obra, também o símbolo de Pruitt-Igoe fugiu a seu controle e acabou por se tornar uma referência central para todo o discurso arquitetônico e urbanístico – referência para o mal, entenda-se. Um dos primeiros detratores foi o crítico de arquitetura do *Washington Post*, Wolf von Eckardt, que declarou que a implosão de Pruitt-Igoe significara "a morte da cidade moderna". Em breve, Pruitt-Igoe era já um emblema de tudo o que de errado se podia fazer em arquitetura, mesmo para um autor consagrado como Lewis Mumford, que aproveitava para estender a sua crítica ao World Trade Center, "um exemplo do gigantismo gratuito e do exibicionismo tecnológico com que hoje em dia se eviscera o tecido vivo de qualquer grande cidade". Outros, como Peter Hall, utilizavam Pruitt-Igoe como um bordão com que fustigar não só Minoru Yamasaki mas toda a geração modernista, de Corbusier a Oscar Niemeyer, pela suposta desumanidade dos projetos das "cidades-torres" corbusianas ou das cidades planejadas como Brasília, de Lucio Costa e Niemeyer. No fim da década de 1970, um jovem arquiteto e teórico chamado Charles Jencks proclamou que o modernismo morrera no dia da implosão de Pruitt-Igoe "para dar lugar a uma nova fase, a fase pós-moderna". Essa simples frase fez muito para divulgar a própria idéia de que poderia existir algo como uma fase "pós-moderna" na arquitetura e, quem sabe, na própria história. À medida que o debate pós-moderno transitou da sua primeira encarnação na teoria da arquitetura para discussões em literatura, filosofia, política e ciências sociais, contaminando quase todas as disciplinas humanísticas, também a catástrofe de Pruitt-Igoe ganhou uma relevância que Minoru Yamasaki nunca poderia ter previsto e que só poderia deixá-lo amargurado. Todos esses autores e textos tinham ou foram ganhando um peso crescente na academia, o que contribuiu mais ainda para a celebrização – mesmo demonização – do mau exemplo de Pruitt-Igoe. São denúncias redigidas num tom implacável, duríssimo, justificado aos olhos dos críticos pela própria arrogância que interpretavam nos propósitos da arquitetura da geração e das correntes a que Yamasaki estava associado.

Entre o público não especialista, contudo, Pruitt-Igoe foi perdendo os ecos de caos, crime e abandono pelo qual fora reconhecido nos seus últimos anos da década de 1960. As intenções de Minoru Yamasaki também foram sendo revalorizadas à medida que se foi sabendo como a deterioração do conjunto habitacional se devera pelo menos tanto (ou talvez mais) à ação premeditada ou negligente de empreiteiros, políticos e administração local, que foram corrompendo o projeto inicial enquanto o construíam, abandonando-o nos anos subseqüentes, principalmente depois de o Supremo Tribunal ordenar a dessegregação de Pruitt-Igoe e de ter ficado claro que os habitantes do conjunto seriam quase exclusivamente oriundos das camadas mais enjeitadas da população negra de Saint Louis. O debate sobre as causas da degradação de Pruitt-Igoe não é conclusivo, mas o seu quadro geral é hoje menos condenatório do projeto inicial.

Quando Yamasaki morreu, aos 73 anos de idade, em 1986, os obituários dos jornais identificaram-no como "Minoru Yamasaki, criador do World Trade Center", referindo apenas de passagem que ele era também o autor do infamante projeto de Pruitt-Igoe, bem como de obras talvez mais interessantes, como os aeroportos de Saint Louis Missouri, nos Estados Unidos, e de Dahran, na Arábia Saudita; o pavilhão americano na Feira Agrícola de Nova Déli; o Banco Central Saudita; a Congregação Israelita de North Shore, e as Century Plaza Towers, em Los Angeles.

III

Pouco mais de um ano depois, o principal diário do estado da Geórgia, *The Atlanta Journal-Constitution*, publicou a notícia da morte de Moreland Smith. Cartões de condolências e coroas de flores encheram a casa do antigo arquiteto e ativista dos direitos civis, para espanto da família e do próprio. Moreland Griffith Smith, então com oitenta anos, estava vivo e com saúde, junto de Marjorie, com quem casara havia mais de meio século. A notícia do óbito referia-se a outro homem com o mesmo nome, natural e morador de Atlanta. O *Atlanta Journal-Constitution* decidiu então compensar o equívoco publicando um perfil do Moreland Smith sobrevivente, natural de Montgomery, Alabama, e morador de Atlanta desde que fora forçado a mudar-se, 22 anos antes, por razões de perseguição política. Uma jornalista chamada Carole Ashkenazi foi enviada para recolher alguns depoimentos, e regressou da residência dos Griffith Smith para escrever um texto radiante, não só porque tinha uma boa notícia para dar, como lhe parecia que estivera perante as mais simpáticas das pessoas. Apesar das injustiças que tinham sofrido no passado, e do alvoroço provocado pelo equívoco no jornal, os Griffith Smith mantinham uma impecável boa disposição. Os olhos azuis de Moreland Griffith Smith precisavam agora de óculos, mas de resto o velho arquiteto estava numa boa fase. Apesar de já não exercer a profissão desde os anos 1960, o Instituto dos Arquitetos Americanos decidira atribuir-lhe, uma semana antes, um prêmio de carreira pela sua participação no movimento dos direitos civis, dando aulas no Tuskegee Institute, velha instituição universitária para negros, tentando encontrar encomendas para os seus jovens arquitetos etc. Moreland Griffith Smith morreu dois anos depois de receber esse prêmio, em 1989.

    O perfil do *Atlanta Journal-Constitution* estabelece uma comparação interessante entre as vidas paralelas de Moreland Griffith Smith e da sua *bête noire*, o governador do Alabama, George Wallace. Como fica claro nas falas de Griffith Smith e David Rockefeller nesta peça, Wallace concorreu à vaga de presidenciável em 1972, disputando (e perdendo) as primárias do Partido Democrata, como já antes concorrera às presidenciais de 1968, pelo Partido Independente Americano, chegando a conquistar cinco estados e a obter 13,5% da votação geral. Poucas semanas depois da data em que se passa a nossa conversa imaginária do primeiro ato, George Wallace fazia campanha no estado do Maryland, quando foi baleado quatro vezes por um atirador chamado Arthur Bremer, aparentemente sem motivações políticas. Uma das balas ficou alojada na coluna vertebral e deixou Wallace paralisado.

George Wallace tinha um discurso claramente racista e antidireitos civis; o seu lema era "segregação agora, segregação amanhã, segregação para sempre". Em suas campanhas para governador, a abordagem era ainda mais explícita: "Acorda, Alabama! Os pretos querem tomar conta do estado!" foi uma das frases que utilizou em cartazes. A paralisia não impediu Wallace de prosseguir com a sua carreira política, concorrendo de novo às primárias democratas de 1976, que perdeu para um democrata do sul, anti-segregacionista, Jimmy Carter. Ironicamente, os seus simpatizantes queixaram-se ruidosamente de que George Wallace era tratado com preconceito devido à sua deficiência. A cisão no Partido Democrático entre os defensores dos direitos civis e os segregacionistas do sul foi a causa principal da perda da base sulista, que era um reservatório seguro de votos para os candidatos democratas. A partir de então, os votos no sul profundo transferiram-se para o Partido

Republicano, em parte graças às estratégias políticas de George Wallace e dos seus correligionários, conhecidos por *dixiecrats*, um trocadilho entre *dixie*, alcunha por que são conhecidos os estados do sul dos Estados Unidos, e *democrat*. Apesar de a personagem de David Rockefeller errar na sua previsão de que um democrata não voltaria tão cedo à Casa Branca (uma vez que Carter viria a ganhar as eleições de 1976), a verdade é que a perda do sul colocou os democratas em desvantagem nas eleições futuras; e essa é uma das razões para a Casa Branca ter tido um inquilino republicano em praticamente vinte dos últimos 28 anos.

Anos mais tarde, Wallace viria a se tornar um cristão renascido, abandonando as antigas posições racistas e declarando-se arrependido por ter combatido o fim da segregação. A sinceridade dessa conversão é controversa, pelo menos no que diz respeito ao abandono do racismo: os críticos de Wallace notam que tal mudança de posição coincide com um momento no final dos anos 1970, em que ficou claro que mais nenhum político declaradamente antinegro poderia acalentar desejos de uma carreira de sucesso.

III

Leslie E. Robertson, o engenheiro-chefe do World Trade Center, é uma das duas personagens desta peça que continuam vivas. A Leslie E. Robertson Associates (LERA) continua projetando estruturas de muitos edifícios importantes pelo mundo afora. Os próximos exemplos notáveis serão o Centro de Ciência de Macau, o Museu de Arte Islâmica do Qatar e o World Financial Center de Xangai, que contará com um arranha-céu de 95 andares.

Os escritórios da companhia em Nova York, no número 30 da Broad Street, situam-se a cerca de quinhentos metros de onde se erguiam as Torres Gêmeas. Num depoimento oficial da LERA, os funcionários da empresa contam como viram o segundo avião esmagar-se contra a Torre Sul do World Trade Center. Leslie Robertson projetara as torres de forma a poderem resistir contra o embate de um Boeing 707, o maior avião de passageiros da época – uma hipótese a ser considerada, levando em conta o choque de um bombardeiro perdido na neblina contra o Empire State Building, o prédio mais alto do mundo até então. Ambas as torres resistiram ao choque de dois Boeing 767, bem maiores e voando a toda a velocidade, naquela manhã de 11 de setembro de 2001. O consenso atual é de que foi o incêndio subseqüente que provocou o colapso das torres, tese que a própria LERA admite: "os sistemas antifogo não poderiam ter contemplado, e não contemplavam, o incêndio causado pelo derramamento de milhares de galões de combustível". A concepção estrutural foi criticada por isso. No entanto, deve se salientar que os cálculos de Leslie Robertson e as suas precauções específicas contra choque de aeronaves permitiram que as torres agüentassem tempo suficiente para que muita gente fosse retirada, salvando-se milhares de vidas.

Contrariamente à frase feita segundo a qual "os engenheiros desenham as bombas e os arquitetos desenham os alvos", aqui colocada na boca da personagem de David Rockefeller, a empresa de Leslie Robertson tem por doutrina oficial recusar todas as encomendas que violem seus princípios ambientais ou pacifistas.

Os anos 1970 foram importantes para Fazlur Rahman Khan. Em 1974, inaugurou a sua Sears Tower em Chicago, que se manteve como o edifício mais alto do mundo durante 24 anos, até ser destronado pela Torre Petronas, em Kuala Lumpur, inaugurada em 1998. E viu chegar a independência de seu país, Bangladesh, pela qual tinha lutado. Além de engenheiro, Fazlur Rahman Khan era um político bengalês respeitado e um intelectual nacionalista. No fim da década, ganhou o Prêmio Aga Khan por seu terminal da peregrinação da *hajj*, em Jedá, na Arábia Saudita. O prêmio foi-lhe atribuído por sua "excepcional contribuição à arquitetura para muçulmanos". Mas sua contribuição para a engenharia, a estrutura tubular ou em feixe de tubos, transcende o mero uso comunitário, pois permitiu uma revolução conceitual na arquitetura de arranha-céus. Amartya Sen, Prêmio Nobel de Economia, também ele um bengalês (mas da Índia, embora nascido no atual Bangladesh), cita Fazlur Rahman Khan no seu livro *Identidade e violência* para dizer que, se é verdade que um muçulmano destruiu as Torres Gêmeas, também sem um muçulmano não teria sido possível construí-las. Fazlur Rahman Khan morreu em 1982.

> **Age of the Masters**
> A Personal View of Modern Architecture.
> By Reyner Banham.
> Illustrated. 170 pp. New York: Harper & Row. $15.
>
> By ROBERT C. TWOMBLY
>
> If the World Trade Center were to suffer the fate of the Pruitt-Igoe housing project in St. Louis—death by dynamite—many or us would cheer But good fortune comes rarely and for better or worse modern architecture is here to stay Rayner Banham, professor of the history of architecture at University College, London, approves entirely, for in "Age of the Masters" he argues that 20th-century design was and is heroic. "Modern architecture is dead," is Banham's cheer; but "long live modern architecture!"

O arquiteto Louis Kahn, que é citado de passagem no segundo ato, desenhou de fato o parlamento de Bangladesh e todo o complexo administrativo da capital, Daca. É uma obra grandiosa e radicalmente original, uma das grandes peças de arquitetura do século XX, que também lhe valeu o Prêmio Aga Khan. Louis Kahn era um judeu oriundo da Estônia e estabelecido em Filadélfia. Em 1974, um ano depois da data desse diálogo imaginário do segundo ato, voltava da Ásia para os Estados Unidos quando morreu fulminado por um ataque cardíaco, no banheiro de uma estação ferroviária. As autoridades demoraram três dias para encontrar a família, porque o arquiteto havia riscado o seu endereço do passaporte. Em 2003, o seu filho Nathaniel Kahn estreou um documentário chamado *My architect – a son's journey*, onde procura recordar o pai e entender a vida dele com três famílias ao mesmo tempo, com um filho em cada uma.

Nelson Rockefeller, governador do estado de Nova York e irmão de David Rockefeller, principal investidor no World Trade Center, chegou efetivamente a vice-presidente dos Estados Unidos. O caso Watergate, que já vinha de 1972, mas não impedira uma reeleição folgada de Nixon, tornou-se pouco sustentável a partir de abril de 1973, levando à demissão do presidente em agosto. O vice-presidente Gerald Ford ocupou o lugar de Nixon, e Nelson Rockefeller foi nomeado vice-presidente, vencendo a concorrência de George (H.W.) Bush, então embaixador nas Nações Unidas. Com Gerald Ford, entraram na Casa Branca dois jovens políticos, inicialmente rivais de Bush pai: Dick Cheney e Donald Rumsfeld.

III

Quanto às Torres Gêmeas propriamente ditas, o mundo viu-as desaparecer no dia 11 de setembro de 2001. Desmoronaram de uma forma quase irreal depois de dois aviões de passageiros terem retalhado as suas superfícies de alumínio. Houve muitas vítimas, enormes danos humanos e materiais, mas também conseqüências reais vividas por todo o mundo, e que ainda não cessaram. Pouquíssimos suspeitavam alguma vez assistir a coisa semelhante, e apenas uns poucos se iludem sobre a hipótese de vir a extrair algum sentido definitivo de tais acontecimentos. Em boa medida, grande parte do debate público que se gerou após o ataque serve de paliativo para esse choque que ainda não abarcamos, e que não se explica apenas pelo número de vítimas ou pelos efeitos políticos do ataque, mas também pelos aspectos inéditos, visuais, diretos, partilhados e puramente gregários da espécie humana, que a experiência vivida em conjunto acarretou. Pode haver enormes diferenças entre nós em torno do ataque, antes do ataque, depois do ataque: mas há conformidade no espanto sentido.

Um ano antes, eu tinha passado um mês na City University of New York, na esquina oposta ao Empire State Building, e durante esse período não fiz qualquer esforço para visitar as torres do World Trade Center. Nenhum dos colegas ou amigos me incentivou nesse sentido, o que serve para confirmar que pouco tempo antes do desaparecimento das torres ainda subsistia alguma daquela resistência inicial – sincera ou afetada – à obra de Yamasaki em Manhattan. Se os gostos não se discutem e os desgostos não implicam culpa, não deixa de ser curioso notar como algumas pessoas se penitenciam hoje por nunca terem gostado das torres ou por terem delas desmerecido, um pouco como a vergonha que se sente por ter escarnecido de alguém que morreu jovem. Talvez muitos desses detratores tivessem sido tão enfáticos ou irônicos como Robert C. Twombly, que escreveu efetivamente que, se as Torres Gêmeas fossem dinamitadas como Pruitt-Igoe, também muita gente se juntaria para aplaudir, como aplaudiu neste caso. A mera explicitação dessa idéia causa hoje desconforto, apesar de sabermos que Twombly nunca poderia imaginar quão literalmente a sua frase poderia um dia ser interpretada. Da mesma forma, a resistência estética às torres que muitos sentiam até a véspera do ataque não diminui em nada o respeito devido às vítimas, nem mudaria nada se pudéssemos retroativamente alterar nossa opinião. Sabemos que Twombly e os outros detratores das torres até a véspera estão desculpados pela imprevisibilidade do futuro. Mas isso em nada mitiga essa inevitável mistura de sentimentos entre estética e ética.

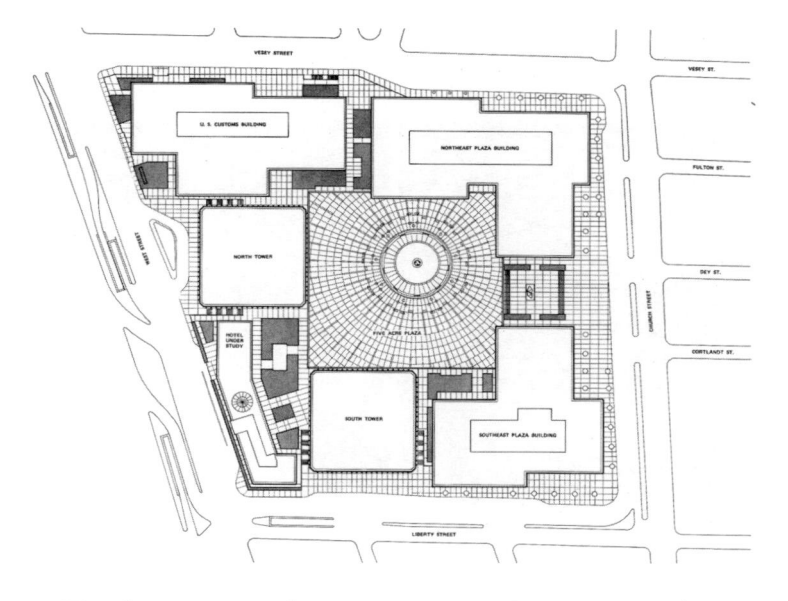

Finalmente, acabei por ir até Lower Manhattan para visitar o World Trade Center. E foi aí que tive a surpresa que já muitos descreveram perante as obras de Minoru Yamasaki. Ao longe, as torres eram massivas, esmagadoras até. De perto, ganhavam uma delicadeza inesperada, em grande parte devido à reverberação da luz nas colunas de metal e às suas linhas paralelas, muitas e muito juntas, que alteravam seu aspecto dependendo do ângulo, da proximidade ou até da atenção do observador. Acima de tudo, essas colunas eram apenas falsamente repetitivas, uma vez que se juntavam e depois subdividiam num padrão gracioso, claramente reminiscente do decorativismo elegante da arte islâmica, embora também da leveza do arco gótico ou de certos elementos da arte oriental. Yamasaki, cujo gosto passara por todas essas fases e estilos, tinha uma consciência precisa da migração, às vezes tão discreta, das formas.

Era feriado ou domingo e o World Trade Center estava fechado. Mesmo o acesso ao pátio interior estava vedado por grades, o que me impediu de aceder à *five acre plaza*, resguardada no interior dos edifícios e que era certamente o elemento de que Yamasaki mais se orgulhava. Esses cinco acres, ou pouco mais de dois hectares, acerca dos quais escreveu estas palavras na sua autobiografia:

A praça é definitivamente a grande experiência inesperada do Trade Center. Ela constituirá a dádiva de um grande espaço aberto com sobriedade e variedade bastantes para permitir aos utilizadores observar e relacionar a escala geral das torres com o pormenor das suas partes, tornando-as compreensíveis e acessíveis em vez de avassaladoras e intratáveis. Os visitantes, bem como aqueles que trabalham no World Trade Center, encontrarão nesta *five acre plaza* uma Meca onde experimentarão um enorme alívio depois da experiência das ruas e dos passeios densos que envolvem a área de Wall Street. (*A life in architecture*, p. 115.)

Minoru Yamasaki sugeria que se considerasse a oferta da praça às várias nações presentes no World Trade Center, para que nela comemorassem suas festas nacionais. Esse é mais um dado que ajuda a entender o seu anseio de fazer daquela praça um ponto focal do mundo, reforçado pelo pavimento concêntrico que se lançava em direção a uma escultura central em forma de globo, como se aquela fosse uma estrela no centro de um sistema solar. Em torno estava o World Trade Center e lá fora Nova York, a mais internacional cidade do planeta. E no centro daquele pátio interior retangular, tudo era puxado de novo para uma escultura em forma de planeta, como se atraído pela força da gravidade, numa recursividade quase hipnótica. E é nesse sentido que se deve entender a explícita referência que o autor faz a Meca, uma vez que o globo na *five acre plaza* ocupa funcionalmente o lugar da *kaaba*, a pedra sagrada dos

muçulmanos, em torno da qual caminham repetidamente os fiéis na peregrinação da *hajj*.
 Claro que eu não vi nada disso. Se bem me lembro, ter-me-ei afastado com a confiança de que haveria novas ocasiões para percorrer o interior do World Trade Center e penetrar nessa praça onde, segundo seu criador, estava o *sanctum sanctorum* com a chave final para o significado da obra. Hoje restam as fotografias, as plantas e as descrições que, apesar de tão recentes, parecem já referir-se a um monumento da civilização submersa da Atlântida.

III

Mas não é só o futuro que é imprevisível. Também o passado o é, e a ínfima parte documentada dele não altera grandemente esse fato. As causas e as intenções podem ser tão inacessíveis como as conseqüências e os resultados. E mais inesperadas. Naturalmente, é com pasmo que hoje lemos Minoru Yamasaki identificando o World Trade Center com Meca de uma forma tão casual, despreocupada e, para dizer a verdade, lisonjeira.
 Esse pasmo, é claro, nasce do fato de a maioria dos terroristas que participou no ataque ser oriunda do país onde se situa Meca, a Arábia Saudita, e onde Minoru Yamasaki tanto trabalhou e aprendeu.
 Muito se escreveu, por exemplo, sobre o líder do grupo e provável piloto do primeiro avião, o egípcio Mohamed Atta. Como os demais, Mohamed Atta era um fundamentalista islâmico. Mas antes fora um estu-

dante aplicado da Universidade do Cairo que obteve a sua licenciatura em Arquitetura. Depois da licenciatura viajou para a Europa, onde se inscreveu na Universidade Técnica de Hamburgo, na Alemanha, para freqüentar o mestrado em urbanismo. A dissertação que escolheu redigir, sob orientação de um professor alemão, tinha por tema a cidade de Alepo, na Síria, que é um dos aglomerados urbanos mais antigos do mundo. De acordo com todos os relatos, Mohamed Atta era um estudante aplicado; provavelmente não só sabia muito bem aquilo que estava para destruir como, certamente mais do que qualquer outro dos cúmplices, poderia ter noção da carreira e do significado da obra de Minoru Yamasaki. Saber – ou melhor, recordar, uma vez que o fato foi bem divulgado desde o início – que Mohamed Atta era um estudante de arquitetura e de urbanismo lança um elemento perturbador sobre o simbolismo da destruição do World Trade Center.

O mesmo se passa com a história de Ossama bin Laden, tido por autor moral do ataque. É do conhecimento geral que o pai de Ossama bin Laden, Muhamed bin Laden, era o empreiteiro favorito do rei Faisal. Na verdade, Muhamed bin Laden detinha o monopólio das construções e reparações nas cidades santas de Meca e Medina, além de participar na maioria das obras de envergadura que se faziam no reino. Resultado: sua família reuniu a maior fortuna do país fora da Casa de Saud, ou seja, da dinastia reinante. Ossama era apenas um dos mais de cinqüenta filhos de Muhamed bin Laden, que imigrara ainda jovem do Iêmen e que casara por mais de vinte vezes na Arábia Saudita, mantendo em geral as primeiras três mulheres e divorciando-se sucessivamente da quarta, o que é permitido pela lei islâmica (que permite apenas quatro casamentos simultâneos, e mesmo assim apenas quando o homem tem possibilidade de sustentar as quatro esposas em igualdade).

Minoru Yamasaki trabalhou na Arábia Saudita a partir dos anos 1950, quando projetou o aeroporto de Dahran, uma de suas obras mais bem acabadas. Tinha um compreensível orgulho pelo fato de ter traduzido bem a arte local para a arquitetura contemporânea, rompendo com o que considerava um desinteressante hábito de importar modelos europeus para a paisagem do Oriente Médio (não que Yamasaki menosprezasse a arte européia; pelo contrário, fez uma viagem de estudo para a Europa logo que teve condições para isso e ficou tão influenciado pelo que viu que a primeira fase da sua obra ficou conhecida por "yamagótica"). Os sauditas ficaram tão bem impressionados com a abordagem de Yamasaki, que imprimiram notas com imagens do aeroporto de Dahran e voltaram a convidá-lo para vários outros projetos no reino. Desses novos convites, Yamasaki aceitou três: o do Banco Central Saudita, em Riade; o do aeroporto das províncias orientais; e o do pavilhão do rei Fahd, no aeroporto de Jedá.

A Minoru Yamasaki Associates não divulga em qual dessas obras, se houve alguma, o arquiteto colaborou com a Saudi bin Laden Group, empresa fundada por Muhamed bin Laden. Sabendo do sucesso do trabalho de Minoru Yamasaki na Arábia Saudita, é pelo menos improvável que Muhamed bin Laden ou seus próximos não tivessem conhecimento de um arquiteto nipo-americano que desenhou obras importantes para a família real. Sabendo a posição privilegiada da Saudi Bin Laden Group no reino saudita, é natural que Minoru Yamasaki tenha ouvido falar, se não mesmo chegado a conhecer, seu fundador. Muhamed bin Laden morreu em 1967, num desastre de avião.

Com a morte do fundador, a presidência da Saudi bin Laden Group foi ocupada pelo filho Salem bin Laden, meio-irmão de Ossama. Salem estudara na Inglaterra e ia com freqüência para os Estados Unidos, onde tinha negócios de petróleo no Texas. Salem bin Laden era, como grande parte da família, um homem cosmopolita e até vagamente mundano. Durante a sua presidência, também é possível que a empresa da família tenha trabalhado com Minoru Yamasaki na Arábia Saudita, ou mesmo que Salem e Minoru tenham se encontrado nos Estados Unidos. Salem bin Laden morreu em San Antonio, Texas, em 1988, num desastre de avião.

Poderia o adolescente Ossama bin Laden, no final dos anos 1960 e início dos 1970, ter ouvido falar de um "japonês americano" que fazia obras importantes no reino e que agora estava construindo as torres mais altas do mundo? Há aqui uma série de elementos recursivos, como a morte do pai e do irmão em acidentes de avião, ou coincidências, como a ligação de Yamasaki com a Arábia Saudita e as influências da arte islâmica em sua obra. É fácil considerá-los sugestivos. Mas é difícil saber que memórias ou influências datam dessa época na formação de Ossama bin Laden, que era já então um homem muito religioso. Caso soubesse que o edifício que Minoru Yamasaki então planejava era decalcado da planta-tipo de uma mesquita teria considerado a obra uma blasfêmia, mais ainda se alguma vez soube da comparação explícita entre o World Trade Center e Meca. Mas tanto quanto é do conhecimento público, Ossama bin Laden nunca citou nenhum tipo de motivações pessoais ou biográficas para as suas ações, restando saber se não o fez porque não existem, porque acha que não existem, ou porque acha que não devem ser divulgadas.

III

Há cerca de um ano decidi escrever uma peça de teatro sobre o tema das conseqüências involuntárias, mas não sabia ainda que rumo tomar. Uma vez que existe efetivamente uma teoria sociológica de mesmo nome, exposta no artigo de 1936, "The unanticipated consequences of purposive social action" [Conseqüências involuntárias da ação social intencional], de Robert K. Merton, pensei em fazer uma peça num ambiente acadêmico, provavelmente com uma dupla central, mestre/discípulo, e tendo como pano de fundo as sucessivas contradições entre o plano das idéias e o plano do temperamento.

Mais ou menos nessa época, ouvi o excerto dedicado a Pruitt-Igoe em *Cidades do amanhã*, de Peter Hall, que trata a primeira obra de Minoru Yamasaki como a pior calamidade arquitetônica e urbanística de todos os tempos. Era evidente o potencial literário da história de um arquiteto celebrado, não por um sucesso, mas por um fracasso. Além do mais, o projeto de Pruitt-Igoe não parecia ter sido levado a cabo por um arquiteto negligente, mas antes por um criador consciencioso e atento ao pormenor, o que era uma ilustração efetiva do princípio das conseqüências involuntárias.

Algumas semanas mais tarde, descobri que uma música de Philip Glass que eu sempre apreciara se chamava "Pruitt-Igoe", demorando então pouco tempo para confirmar que essa música era a trilha sonora para as grandiosas cenas de implosão de edifícios que ocupam uma parte do documentário *Koyaanisqatsi*, de Godfrey Reggio. Eu tinha lembranças dessas imagens. Decidi investigar mais um pouco, considerando a hipótese de dedicar ao criador de Pruitt-Igoe um pequeno texto. E, nesse processo, descubro que o autor de Pruitt-Igoe era o autor do World Trade Center, provavelmente algo que qualquer estudante de arquitetura sabe. Estávamos, portanto, perante um homem amaldiçoado pela história, um arquiteto mais conhecido pelas suas obras que foram destruídas do que pelas que construiu.

Ficou claro desde logo que a peça não poderia ser sobre a destruição do World Trade Center.

Minoru Yamasaki não viveu para a ver. E eu próprio só tinha chegado ao World Trade Center depois de saber de Pruitt-Igoe, fazendo o percurso do passado para o futuro, como as próprias personagens o viveram. Pruitt-Igoe – o fracasso, World Trade Center – o sucesso. O 11 de setembro, Ossama bin Laden, George

W. Bush pertencem a um outro mundo que ainda não aconteceu, que talvez nem venha a acontecer ainda, se a história tomar outro rumo. Estamos em 1971 e 1973, o mundo do Watergate, de Muhamed bin Laden, de George H. W. Bush. O mundo dos pais e ainda não dos filhos. Está tudo em aberto. As personagens vêm do passado, tão incertas como nós ao encontro delas.

III

Além dos autores citados, foram utilizados textos do arquivo dos periódicos *The New York Times*, *The Washington Post*, *The Atlanta Journal-Constitution*, *Montgomery Advertiser*, *St. Louis Post-Dispatch* e da *Time*, entre outros. As frases entre aspas estão documentadas como tendo sido ditas ou escritas pelas respectivas personagens, ou pelas pessoas a que elas se referem. Em alguns casos foram levemente editadas ou combinadas citações provenientes de fontes diversas.

Lisboa, maio de 2007

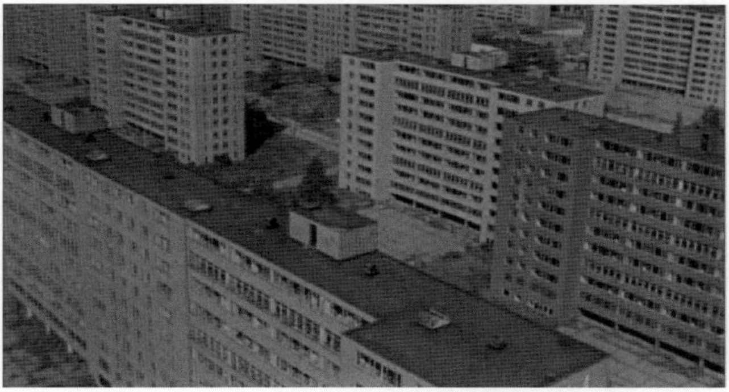

IMAGENS

GUARDAS
Recortes de *The Washington Post*
e *The New York Times* (1955-1979).

FOLHA DE ROSTO
As Century Plaza Towers, em Los Angeles (1968-1975).
Capa da revista *Time*, 18 de janeiro de 1963.

ATO I
Maquete da Rainier Tower, em Seattle (1972-1977).

ENTRE ATOS
Imagens de Pruitt-Igoe em 1972, do filme *Koyaanisqatsi*
(1982), de Godfrey Reggio.

ATO II
Maquete das Torres Gêmeas do World Trade Center,
Nova York (1962-1976, inauguradas em 1972).

SOBRE *O ARQUITETO*
Maquete da *five acre plaza*, pátio interior
do World Trade Center.
Logotipo de *Manhattan* (1979), filme de Woody Allen.
"The age of the masters", artigo de Robert C. Twombly
publicado em *The New York Times* (16 de novembro de 1975).
Planta do World Trade Center, com a *five acre plaza*.
Duas vistas da *five acre plaza*.

*Nos edifícios, a primeira data refere-se à concepção
e a segunda, à finalização.*

1ª EDIÇÃO Março de 2008 | DIAGRAMAÇÃO Thais Miyabe Ueda
FONTE Hoefler Text | PAPEL Offset 90g/m²
IMPRESSÃO E ACABAMENTO Prol Editora Gráfica Ltda.

Humanism vs. Megalopolis

> "When architect Minoru Yamasaki was asked why he designed two 110-story buildings for the Trade Center instead of one 220-story tower, he reportedly countered that he wanted 'to keep it in the human scale.'"

Bill Porter, one of the construction workers at the World Trade Center, checking a window frame on the 104th floor of the center's north tower.

Nisei Overcome War Prejudice To Find Greater Acceptability

Award-Winning Buildings Avoid Architectural Clichés

Another winner of top honors is Dhahran International Air Terminal at Dhahran, Saudi Arabia, by the Ralph M. Parsons Company, with Minoru Yamasaki as consulting architect.

World Trade Center Rising In Noisy, Confusing World

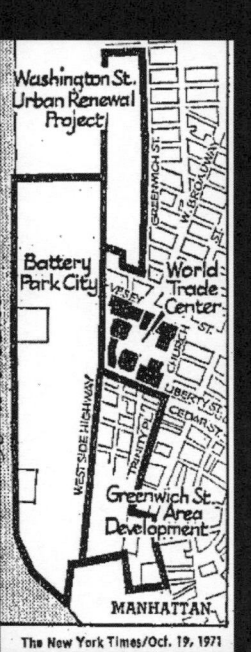

The New York Times/Oct. 19, 1971

New York's World Trade Center

Cityscape

Scraping the Top With Arrogance

Age of the Masters

A Personal View of Modern Architecture.
By Reyner Banham.
Illustrated. 170 pp. New York:
Harper & Row. $15.

By ROBERT C. TWOMBLY

If the World Trade Center were to suffer the fate of the Pruitt-Igoe housing project in St. Louis—death by dynamite —many of us would cheer But good fortune comes rarely and for better or worse modern architecture is here to stay Rayner Banham, professor of the history of architecture at University College, London, approves entirely, for in "Age of the Masters" he argues that 20th-century design was and is heroic. "Modern architecture is dead," is Banham's cheer; but "long live modern architecture!"

Bill Porter, one of the construction workers at the World Trade Center, checking a window frame on the 104th floor of the center's